友だちがしんどいがなくなる本

石田光規
社会学者

講談社

友《とも》だちと
いっしょにいるのは
基本的《きほんてき》には楽《たの》しい

でも——

ポロンッ♪
…あ
ゆきちゃんたちから
LINE《ライン》きてる…
えーと…
えーと
ポロンッ♪
あっ
ポロンッ♪
ポロンッ♪
早《はや》く返事《へんじ》
しなきゃ…
ポロンッ
ポロンッ

あ
アイツSNS《エスエヌエス》に
新《あたら》しい動《どう》画《が》
アップしてる
早《はや》くいいね
しなきゃ…
○×駅
○×駅
プシュ
あっ

みんながフラッペ
飲《の》むなら私《わたし》も
買《か》ったほうが
いいよね…
今月《こんげつ》あんまり
お小《こ》遣《づか》いの
余《よ》裕《ゆう》ないけど…
あの話題《わだい》のアニメ
チェック
しとかなきゃ…

——ときどき「友《とも》だち」がしんどい

こんなふうに
感《かん》じちゃう
私《わたし》だけなのかな…

もくじ

第《だい》1章《しょう》　私《わたし》たちが「友《とも》だちがしんどい」と感《かん》じるワケ

第《だい》2章《しょう》　今日《きょう》からできる人《ひと》づき合《あ》いのコツ

●第《だい》3章《しょう》 時《じ》代《だい》とともに変《か》わる「友《とも》だち」のかたち

第《だい》4章《しょう》 現代《げんだい》になって生《う》まれた新《あたら》しい「友《とも》だち」のかたち

第《だい》5章《しょう》 SNS《エスエヌエス》が変《か》えてしまった人間関係《にんげんかんけい》のあり方《かた》

第《だい》6章《しょう》 オンラインの人《ひと》づき合《あ》いで疲《つか》れないために

装丁：金井久幸（Two Three）
装画／マンガ：タダノなつ
本文デザイン／DTP：津浦幸子（マイム）

私《わたし》たちが「友《とも》だちがしんどい」と感《かん》じるワケ

第《だい》1章《しょう》

友《とも》だちとのつき合《あ》いは「しんどい」「疲《つか》れる」？

友《とも》だちは大事《だいじ》だけれど、いっしょにいると、なんとなく疲《つか》れてしまう。そんなことを感《かん》じている人《ひと》はいませんか。

友《とも》だちの大切《たいせつ》さは、マンガ・ドラマ・小説《しょうせつ》などで、ひんぱんに取《と》り上《あ》げられています。

その一方《いっぽう》で、**私《わたし》たちは、友《とも》だちとのつき合《あ》いにむずかしさを感《かん》じることもあります。**「友《とも》だちとのつき合《あ》い方《かた》」をテーマにした本《ほん》が世《よ》にあふれているのは、友《とも》だちづき合《あ》いに悩《なや》む人《ひと》が多《おお》いからこそでしょう。

かつて、友《とも》だちづき合《あ》いの悩《なや》みは、若者特有《わかものとくゆう》のものだと考《かんが》えられていました。

しかし、いまではそうでもないようです。

2022年《ねん》7月《がつ》にAERA dot.《アエラドット》で『「独身《どくしん》おじさん友達《ともだち》いない」問題《もんだい》が意《い》外《がい》に深刻《しんこく》』という記事《きじ》が掲載《けいさい》されました。この記事《きじ》はYahoo!《ヤフー》ニュースに転《てん》載《さい》されると、1日《にち》で7000件《けん》以上《いじょう》のコメントがつき、大《おお》きな反響《はんきょう》をよびました。記事《きじ》のなかでは、友《とも》だちがなかなかできなくてさみしい、はずかしくて連絡先《れんらくさき》を聞《き》けない、といった悩《なや》みが紹介《しょうかい》されています。

もうちょっとラクにほかの人《ひと》とつき合《あ》いたい。そう考《かんが》える人《ひと》もいるでしょう。

そんなときは、**この人《ひと》に好《す》かれたい（嫌《きら》われたくない）、この人《ひと》と友《とも》だちに**

なりたい、といった考《かんが》え方《かた》からちょっと距離《きょり》をおいてみませんか。

私《わたし》が「友《とも》だち」という言葉《ことば》を使《つか》わない理由《りゆう》

私《わたし》は、おつき合《あ》いのある人《ひと》に「友《とも》だち」という言葉《ことば》をできるだけ使《つか》わないようにしています。**どんな人《ひと》でも基本的《きほんてき》には「知《し》り合《あ》い」であり、それ以上《いじょう》でもそれ以下《いか》でもありません。**

なぜそうしていると思《おも》いますか。その理由《りゆう》は、私《わたし》が友《とも》だち・友人《ゆうじん》といった言葉《ことば》、あるいは概念《がいねん》がとても苦手《にがて》だからです。

まず、そんなところからお話《はなし》を始《はじ》めましょう。

友《とも》だちという言葉《ことば》が苦手《にがて》な第一《だいいち》の理由《りゆう》は、**「友《とも》だち」という言葉《ことば》にひそむ順番《じゅんばん》をつける（つけられる）ような感覚《かんかく》**がイヤだからです。

私《わたし》たちは、だれかを「友《とも》だち」とよぶとき、たいていはほかの人《ひと》と「友《とも》だち」

を区別《くべつ》しています。

区別《くべつ》の基準《きじゅん》はそれぞれあると思《おも》いますが、基本的《きほんてき》には、「友《とも》だち」は「そのほか」の人《ひと》より上《うえ》に位置《いち》づけられるでしょう。「親友《しんゆう》」であれば、なおさらです。

だれかに「友《とも》だち」や「親友《しんゆう》」という言葉《ことば》を使《つか》うと、それだけで、人《ひと》を順序《じゅんじょ》づけているような感覚《かんかく》になり、それが私《わたし》を重《おも》い気《き》もちにさせるのです。

順序《じゅんじょ》づけは、なにも私《わたし》だけがするわけではありません。**「友《とも》だち」と「そのほか」の人《ひと》を分《わ》けた瞬間《しゅんかん》から、多《おお》くの人《ひと》は人間関係《にんげんかんけい》になんらかの序列《じょれつ》をつけています。**

そのため、友《とも》だち関係《かんけい》を意識《いしき》しすぎると、「ほかの人《ひと》から見《み》て、私《わたし》はどのくらいの位置《いち》にいるのだろう」などと、余計《よけい》なことを考《かんが》えたりもするのです。

「『友《とも》だち』なのに、こんなこともしてくれないなんて」という不満《ふまん》も同《おな》じような理由《りゆう》から生《しょう》じます。

私《わたし》たちは、「友《とも》だち」に対《たい》して、ほかの人《ひと》よりも特別《とくべつ》なものをもたらしてくれるだろうとついつい期待《きたい》してしまいます。だからこそ、特別扱《とくべつあつか》いしてくれない友《とも》だちに不満《ふまん》や不安《ふあん》を抱《いだ》いてしまうのです。

私《わたし》は、ここにあげたようなことを考《かんが》えるのがそもそも好《す》きではないので、「友《とも》だち」という言葉《ことば》が苦手《にがて》です。

友《とも》だちという言葉《ことば》が苦手《にがて》なもうひとつの理由《りゆう》は、その言葉《ことば》の「あいまいさ」によります。「友《とも》だち」というつながりのあり方《かた》は、よくよく考《かんが》えると、とてもつかみづらいものです。

「友《とも》だちとはどんな存在《そんざい》ですか」と私《わたし》が教《おし》える学生《がくせい》にたずねると、「気《き》を遣《つか》わなくていい」「中身《なかみ》を隠《かく》さなくてよい」「悩《なや》みを打《う》ち明《あ》けられる」「合理的《ごうりてき》ではない」という答《こた》えが返《かえ》ってきました。

ここから、**友《とも》だちとは「気《き》を遣《つか》わずに話《はなし》をすることができる」「困《こま》ったときに、利害《りがい》と関係《かんけい》なく手《て》をさしのべてくれる」関係《かんけい》**だと考《かんが》えられます。

これらの要素《ようそ》は、だれかと友《とも》だちになる、あるいは、友《とも》だちでありつづけるには、たしかに重要《じゅうよう》な気《き》がします。

その一方《いっぽう》で、**だれかと友《とも》だちになる、あるいは、友《とも》だちでありつづけるにあたっては、右《みぎ》の条件《じょうけん》が必須《ひっす》だとは言《い》い切《き》れません。**むしろ、そういわれると重苦《おもくる》しいと感《かん》じる人《ひと》もいるでしょう。

どんなときでもつねにやさしい人《ひと》はいない

私《わたし》たち人間《にんげん》には、かならずといってよいほど「ゆらぎ」があります。

１００％よい人《ひと》も、悪《わる》い人《ひと》もいませんし、つねに明《あか》るい人《ひと》もいません。よさ・悪《わる》さ、明《あか》るさ・暗《くら》さが同居《どうきょ》するのが人間《にんげん》です。

同《おな》じように、相手《あいて》に対《たい》してつねに手《て》をさしのべられる人《ひと》はいません。

あなたが、まったく気《き》を遣《つか》うことなく話《はな》しかけられる人《ひと》もいないでしょう。

ある場面《ばめん》で手《て》をさしのべられるかどうか、気《き》を遣《つか》うかどうかは、個々人《ここじん》のおかれた状況《じょうきょう》や感覚《かんかく》に左右《さゆう》されるのです。

だからこそ、**あなたが友《とも》だちだと思《おも》っていた人《ひと》が、あなたのほしい支援《しえん》をしてくれなかった、あるいは、よそよそしい感《かん》じになったからといって、た**

ちどころに「友《とも》だちではなくなる」ということはありません。

ゆえに、友《とも》だちとの間《あいだ》には、「困《こま》っているのに助《たす》けてくれなかった」「友《とも》だちなのになんとなく話《はなし》をしづらい」といった不《ふ》満《まん》や悩《なや》みが生《しょう》じることもあります。

「友《とも》だち」はおたがいの「気《き》のもちよう」で結《むす》ばれた関係《かんけい》

では、「友《とも》だち」とはいったいなんなのでしょうか。

究極的《きゅうきょくてき》には、**「おたがいの感覚《かんかく》をよりどころにする関係《かんけい》」**といえるでしょう。

おたがいが相手《あいて》を「友《とも》だち」と思《おも》っているからこそ、そのつながりは「友《とも》だち」だといえるのです。

なかには、自分《じぶん》ひとりが「友《とも》だち」だと思《おも》っていればそれでよく、相手《あいて》の気《き》もちは気《き》にしないという人《ひと》もいるでしょう。

いずれにしても、**「友《とも》だち」は「友《とも》だちである」という感覚《かんかく》に強《つよ》く裏《うら》づけら**

れた関係性《かんけいせい》なのです。

この点《てん》において友《とも》だちは、クラスメートや先輩《せんぱい》・後輩《こうはい》、上司《じょうし》・部下《ぶか》、先生《せんせい》・生《せい》徒《と》といった関係《かんけい》と決定的《けっていてき》に異《こと》なります。

これらの関係性《かんけいせい》はいずれも、環境《かんきょう》や社会《しゃかい》の役割《やくわり》に条件《じょうけん》づけられています。

クラスメートであれば同《おな》じクラスという「環境《かんきょう》」、部活《ぶかつ》の先輩《せんぱい》・後輩《こうはい》であれば生《う》まれた順番《じゅんばん》という「環境《かんきょう》」、先生《せんせい》・生徒《せいと》であれば教《おし》える側《がわ》・習《なら》う側《がわ》という「役《やく》割《わり》」に条件《じょうけん》づけられています。

これらの関係性《かんけいせい》は、自《みずか》らの気《き》もちでかってに変《か》えることはできません。クラスメートはクラスが変《か》わらないかぎりクラスメートですし、部活《ぶかつ》の先輩《せんぱい》・後輩《こうはい》の関係《かんけい》は一生変《いっしょうか》えることができません。年齢《ねんれい》は逆転《ぎゃくてん》しませんから。

一方《いっぽう》、**友《とも》だちは当事者《とうじしゃ》の気《き》のもちようで変《か》わってしまいます。**

あなたが相手《あいて》（もしくは相手《あいて》があなた）のことを「友《とも》だちではない」と思《おも》った瞬間《しゅんかん》から、友《とも》だち関係《かんけい》は壊《こわ》れてしまうのです。

この点《てん》は、友《とも》だち関係《かんけい》を考《かんが》えるうえで決定的《けっていてき》に重要《じゅうよう》です。

クラス替《が》えがあった
ざわ
ざわ
あ ともちゃん…
…もう新《あたら》しい友《とも》だちできてる…
クラスが変《か》わったらもう友《とも》だちじゃないのかな?
あんまり絡《から》んでいくのはヘン?

「友《とも》だち」はあいまいだからこそ、むずかしい

友《とも》だちは、その実態《じったい》があいまいで、気《き》もちに左右《さゆう》される関係《かんけい》です。そのため、ふとしたときに壊《こわ》れてしまう弱《よわ》さをもっているのです。**いま仲《なか》のよい友《とも》だちと**

ずっと友《とも》だちでいつづけられる保証《ほしょう》はどこにもありません。

昨今《さっこん》、友《とも》だちのつくり方《かた》や、友《とも》だちとの心地《ここち》よい関係《かんけい》の築《きず》き方《かた》をテーマにした本《ほん》をよく見《み》かけます。

人《ひと》とのうまいつき合《あ》い方《かた》や距離感《きょりかん》を覚《おぼ》えるのは、たしかに重要《じゅうよう》でしょう。

しかし、**いくら人《ひと》づき合《あ》いの方法《ほうほう》を学《まな》んだとしても、仲《なか》のよい友《とも》だちと別《わか》れる瞬間《しゅんかん》が来《く》ることはあります。**

残念《ざんねん》ながら、友《とも》だち関係《かんけい》とはそういうものなのです。

中学《ちゅうがく》のころは親友《しんゆう》だと思《おも》っていたけれど、すれ違《ちが》うようになってしまった。

別々《べつべつ》の学校《がっこう》に進学《しんがく》したり就職《しゅうしょく》したりしてから、あるいは結婚《けっこん》したり子《こ》どもが生《う》まれたりしてから、まったく意見《いけん》が合《あ》わなくなってしまった。

そのようなことは友《とも》だち関係《かんけい》ではたびたびおこります。

順序《じゅんじょ》づけのところで話《はな》したように、友《とも》だち関係《かんけい》は一般的《いっぱんてき》に「強《つよ》い」ものと考《かんが》えられがちです。そのようなイメージと裏腹《うらはら》に、**友《とも》だち関係《かんけい》は、根本的《こんぽんてき》にはとてももろく、あいまいなものなのです。**

順序《じゅんじょ》づけとあいまいさという友《とも》だち関係《かんけい》を特徴《とくちょう》づけるふたつの要素《ようそ》は、友《とも》だち関係《かんけい》のむずかしさを、そのまま表《あらわ》しています。

たとえば、ある人《ひと》が友《とも》だちかどうかは、厳密《げんみつ》にいえば、当事者《とうじしゃ》どうしがたがいに確認《かくにん》しなければわかりません。

この特性《とくせい》があるため、私《わたし》たちはしばしば、**「お気《き》に入《い》りの人《ひと》が私《わたし》を友《とも》だちと思《おも》ってくれているだろうか」**という不安《ふあん》に直面《ちょくめん》します。

それならば確認《かくにん》すればよいのですが、「私《わたし》たちって友《とも》だちだよね」などというセリフはかんたんに口《くち》に出《だ》せません。

そのセリフじたいが気恥《きは》ずかしいですし、もし相手《あいて》がそう思《おも》っていなかったら、とても気《き》まずいからです。

これはグループに入《はい》っていても同《おな》じです。

グループに入《はい》ったからといって、メンバーがあなたのことを友《とも》だちと認識《にんしき》しているとはかぎりません。

しかも、いま友《とも》だちであったとしても、その関係《かんけい》がその後《ご》もつづく保証《ほしょう》はありません。そのため、**現時点《げんじてん》で友《とも》だちを確保《かくほ》していても、「この人《ひと》とずっと友《とも》だちでいつづけられるか」という別《べつ》の不安《ふあん》が生《う》まれやすくなります。**

さらに悪《わる》いことに、先《さき》ほどお話《はな》ししたように友《とも》だちには、序列《じょれつ》づけを意識《いしき》させられるという特徴《とくちょう》があります。

そのため、友《とも》だちがいなくなると、どことなく見捨《みす》てられたような、人《ひと》よりおとってしまったような感覚《かんかく》を抱《いだ》かせられるのです。

「知《し》り合《あ》い」から始《はじ》めよう

「友《とも》だちがいない」という不安《ふあん》を、「友《とも》だちをがんばってつくる」ことで解消《かいしょう》しようとしても、なかなか消《き》えません。

友《とも》だちという不安定《ふあんてい》な存在《そんざい》に安心《あんしん》を委《ゆだ》ねているかぎり、根本的《こんぽんてき》な問題《もんだい》の解《かい》決《けつ》にはならないからです。

先《さき》にも述《の》べたように、だれかとつねに良好《りょうこう》な関係《かんけい》を築《きず》きつづけるのは、かなりむずかしいといわざるを得《え》ません。

その点《てん》、結婚《けっこん》がすぐれているのは、友人関係《ゆうじんかんけい》と同様《どうよう》に、恋愛《れんあい》という不安定《ふあんてい》な感情《かんじょう》に支《ささ》えられている恋人関係《こいびとかんけい》に、制度的《せいどてき》な安定《あんてい》と保証《ほしょう》を与《あた》えたことです。

婚姻関係《こんいんかんけい》は、本質的《ほんしつてき》にもろさを抱《かか》える恋人関係《こいびとかんけい》に、「夫婦《ふうふ》」という制度的保証《せいどてきほしょう》を与《あた》えて、安定性《あんていせい》を担保《たんぽ》しているのです。

しかし、友《とも》だち関係《かんけい》に、そういった保証《ほしょう》を与《あた》えてくれるシステムはありません。それならば、**つながりのある人《ひと》を「友《とも》だち」と「そうでない人《ひと》」に無理《むり》に分《わ》けずに、みんな「知《し》り合《あ》い」でよいのではないか、**と私《わたし》は考《かんが》えるのです。

かりに友《とも》だちがほしいのならば、あるつながりが「友《とも》だち」かどうかは、学校《がっこう》を卒業《そつぎょう》するまでつき合《あ》ってみて、あるいは、学校《がっこう》を卒業《そつぎょう》してから数年《すうねん》つき合《あ》ってみてから、ゆっくりと考《かんが》えればよい。

「知《し》り合《あ》い」としての交流《こうりゅう》を重《かさ》ねて、振《ふ》り返《かえ》ったら「友《とも》だち」と感《かん》じていたくらいがちょうどよいのです。

私《わたし》たちはつい極端《きょくたん》な考《かんが》え方《かた》をしてしまいやすい

このように書《か》くと、私《わたし》のことを「人《ひと》づき合《あ》いに消極的《しょうきょくてき》な人《ひと》」だと思《おも》うかもしれません。でも、おそらくそんなことはないでしょう。

私《わたし》は、人《ひと》づき合《あ》いの場《ば》に身《み》をおくことはとても大事《だいじ》だと思《おも》っています。

ここでお伝《つた》えしたいのは、**「友《とも》だち」を意識《いしき》しすぎるあまり、その考《かんが》えにしばられ、つながりの方向性《ほうこうせい》が極端《きょくたん》に行《い》き着《つ》いてしまうこともある、**ということです。

友《とも》だちづき合《あ》いのありようを示《しめ》す言葉《ことば》として、「ぼっち」と「リア充《じゅう》」という表現《ひょうげん》があります。

あるいは、友《とも》だちづき合《あ》いのあり方《かた》として、「とにかく友《とも》だちといたい」と友《とも》だちにこだわる人《ひと》と、「友《とも》だちなんかいらない」と友《とも》だちを否定《ひてい》する人《ひと》がいます。

いずれにも共通《きょうつう》するのは、**つき合《あ》い方《かた》の両極端《りょうきょくたん》のみを示《しめ》していて、中間《ちゅうかん》が**

ない、ということです。

「ぼっち」は「ひとりぼっち」を表《あらわ》す俗語《ぞくご》です。

一方《いっぽう》、「リア充《じゅう》」はネット上《じょう》ではなくリアルな生活《せいかつ》で友《とも》だちがたくさんいる、あるいは、恋人《こいびと》がいることで私生活《しせいかつ》が充実《じゅうじつ》している人《ひと》を指《さ》します。

本来《ほんらい》は、**「ぼっち」と「リア充《じゅう》」の間《あいだ》の人《ひと》もたくさんいるはずなのですが、そういった分類方法《ぶんるいほうほう》を好《この》む若《わか》い人《ひと》は少《すく》なくありません。**

「とにかく友《とも》だちといたい」「友《とも》だちなんかいらない」という考《かんが》え方《かた》についても、前者《ぜんしゃ》はとにかく友《とも》だちに執着《しゅうちゃく》し、後者《こうしゃ》は友《とも》だちを否定《ひてい》するという極端《きょくたん》な姿勢《しせい》によっています。

本来《ほんらい》、中間的《ちゅうかんてき》な考《かんが》えがあってもよいのですが、目立《めだ》つのは、このふたつの考《かんが》え方《かた》です。このふたつの現象《げんしょう》も「友《とも》だち」概念《がいねん》の特殊性《とくしゅせい》から説明《せつめい》できます。

「友《とも》だちはいらない」という考《かんが》えになるプロセス

先《さき》ほど、「友《とも》だち」には、

●友《とも》だちとそうでない人《ひと》を序列的《じょれつてき》に分《わ》けてしまう

●「友《とも》だちである」という、あいまいな感覚《かんかく》をよりどころとするため、もろさを抱《かか》える

というふたつの特性《とくせい》があることを説明《せつめい》しました。

これをそのまま当《あ》てはめると、友《とも》だちがいる人《ひと》、とくに友《とも》だちが多《おお》い人《ひと》は、社《しゃ》会《かい》の序列的《じょれつてき》に上位《じょうい》を占《し》める「リア充《じゅう》」になります。

一方《いっぽう》、友《とも》だちのいない人《ひと》は、受《う》け入《い》れ先《さき》のない「ぼっち」になります。

だれもが「ぼっち」になるのはイヤなので、友《とも》だちをつくろうと必死《ひっし》になります。

しかし、**友《とも》だち関係《かんけい》は本質的《ほんしつてき》にもろさを抱《かか》えるため、友《とも》だち関係《かんけい》を維持《いじ》するには、相手《あいて》に気《き》に入《い》ってもらう必要《ひつよう》があります。**

友《とも》だちといたいと思《おも》うあまり、必死《ひっし》に自分《じぶん》をとりつくろい、相手《あいて》の機嫌《きげん》をうかがってしまう人《ひと》もいるでしょう。

そのような関係《かんけい》をつづけていると、気遣《きづか》いや気苦労《きぐろう》が増《ふ》え、「友《とも》だちなんかいらない」と考《かんが》える人《ひと》が出《で》てきます。

「とにかく友《とも》だちといたい」と無理《むり》した結果《けっか》、くたびれてしまい、「友《とも》だちなんかいらない」という結論《けつろん》にいたる。皮肉《ひにく》なものです。

人間関係《にんげんかんけい》リセット症候群《しょうこうぐん》の背景《はいけい》にある心理《しんり》

２０１０年代半《ねんだいなか》ばごろから、**「人間関係《にんげんかんけい》リセット症候群《しょうこうぐん》」**という言葉《ことば》を耳《みみ》にするようになりました。

友《とも》だちとつき合《あ》って一定《いってい》の期間《きかん》がすぎると、テレビゲームをリセットするかのように、これまでのつながりを一掃《いっそう》する。そうした人《ひと》が増《ふ》えているのです。

たしかにこれまでも、引《ひ》っ越《こ》しや高校入学《こうこうにゅうがく》、大学入学《だいがくにゅうがく》などの節目《ふしめ》で、人間関係《にんげんかんけい》を一変《いっぺん》させる人《ひと》はいました。

しかしそれは、節目《ふしめ》を利用《りよう》した現状変更《げんじょうへんこう》の試《こころ》みのようなもので、そこに自《みずか》ら関《かん》係《けい》を消去《しょうきょ》する冷《つめ》たさのような響《ひび》きはありませんでした。

一方《いっぽう》、「人間関係《にんげんかんけい》リセット症候群《しょうこうぐん》」には、ゲームのリセットボタンを押《お》すかのように、自《みずか》ら関係《かんけい》を切断《せつだん》する冷《つめ》たさがあります。

ここで大事《だいじ》なのは、**人間関係《にんげんかんけい》リセットという行為《こうい》が「とにかく友《とも》だちとい**

たい」「友《とも》だちなんかいらない」という両極端《りょうきょくたん》な考《かん》え方《かた》と、とても近《ちか》しいことです。

「とにかく友《とも》だちといたい」と無理《むり》した結果《けっか》、くたびれてしまい、「友《とも》だちなんかいらない」と関係《かんけい》をリセットする。

こうしたことを繰《く》り返《かえ》しても、「中身《なかみ》を隠《かく》さなくてよい」友《とも》だちはなかなかできないでしょう。

私《わたし》たちにとって重要《じゅうよう》なのは、つながりを友《とも》だちかどうかで振《ふ》り分《わ》けるのではなく、まず**「つながりのなかに身《み》をおくこと」**です。

だれかが友《とも》だちかどうかなんて、何年《なんねん》か先《さき》にゆっくりと考《かん》えればよいのです。

そこを無理《むり》して、居合《いあ》わせた人《ひと》と友《とも》だちになろうとすると、肩《かた》に力《ちから》が入《はい》ってしまい、ゆっくりとその場《ば》にいることがむずかしくなってしまいます。

周《まわ》りを見渡《みわた》すと、私《わたし》たちがだれかとつながることのできる場《ば》はたくさんあります。

多《おお》くのボランティアはつねにメンバーを募集《ぼしゅう》していますし、本《ほん》を読《よ》むのが好《す》きな人《ひと》なら、読書会《どくしょかい》などもよく開催《かいさい》されています。

スマホを使《つか》ってなんらかの場《ば》を検索《けんさく》してもよいと思《おも》います。

いま、つながっている友《とも》だちに目《め》を向《む》けすぎると、そうしたつながりの可《か》能性《のうせい》を見落《みお》とします。

いまの友《とも》だちとうまくいかなくても、行《い》ける場所《ばしょ》はたくさんあるのです。

そのときに気《き》をつけたいのは、**「交流《こうりゅう》」をおもな目的《もくてき》とした場《ば》はなるべく避《さ》けるということです。**

交流目的《こうりゅうもくてき》の場《ば》だと「なにか話《はな》さなければいけない」「友《とも》だちにならなければいけない」という圧力《あつりょく》がかかってきます。

「友《とも》だちづくり」や「交流《こうりゅう》」に気《き》をとられすぎてしまうと、かえって息苦《いきぐる》しくなることもあるのです。

ボランティアでも、読書《どくしょ》でもなんでもかまいません。

ほかに目的《もくてき》があって、会話《かいわ》や交流《こうりゅう》はついでにある。それくらいのほうが気《き》軽《がる》に参加《さんか》できるでしょう。

また、ほかに目的《もくてき》があったほうが、その場《ば》におもむく口実《こうじつ》もつくりやすいものです。

学校《がっこう》のクラスや職場《しょくば》でのつき合《あ》いがなんとなくしんどいという方《かた》は、そういった場《ば》をひとつもっていると、気分《きぶん》も変《か》わるでしょう。

なんらかの場《ば》に身《み》をおき、知《し》り合《あ》いとつながって、会話《かいわ》や友《とも》だちはプラスアルファくらいに考《かんが》える。

そうしたことで人《ひと》づき合《あ》いがラクになることもあるのです。

今日《きょう》からできる人《ひと》づき合《あ》いのコツ

第《だい》2章《しょう》

メリット・デメリットの発想《はっそう》から抜《ぬ》け出《だ》す

実際《じっさい》の人《ひと》とのつき合《あ》い方《かた》についても、お話《はな》ししましょう。

なんらかの行動《こうどう》を起《お》こすときに、メリット・デメリットを軸《じく》に物事《ものごと》を考《かんが》え

る人《ひと》は少《すく》なくありません。

大学《だいがく》の授業《じゅぎょう》で議論《ぎろん》をするときも、まずメリット・デメリットから検討《けんとう》する流《なが》れをよく見《み》かけます。

たとえば、「オンライン化《か》は私《わたし》たちの生活《せいかつ》をどう変《か》えたのか。今後《こんご》、どのように接《せっ》してゆけばよいか」というテーマを立《た》てたとしましょう。

そうすると学生《がくせい》は、まず変化《へんか》について検討《けんとう》したうえで、メリット・デメリットをそれぞれ考《かんが》えて、オンライン化《か》との接《せっ》し方《かた》を話《はな》し合《あ》います。

だれしも失敗《しっぱい》はしたくないので、さまざまな選択肢《せんたくし》のメリット・デメリットを吟味《ぎんみ》して行動《こうどう》におよぶ気《き》もちは理解《りかい》できます。私《わたし》もしばしば、そういった考《かんが》え方《かた》をします。

最近《さいきん》では、アニメ、映画《えいが》、ドラマなどの映像《えいぞう》コンテンツの視聴《しちょう》でも、それを見《み》ることのメリット・デメリット、すなわち、コストとパフォーマンスを考慮《こうりょ》することが増《ふ》えたといわれています。

倍速視聴《ばいそくしちょう》で動画《どうが》を見《み》て、気《き》に入《い》ったらじっくりと見返《みかえ》す。あるいは、まず結末《けつまつ》を見《み》て、想定《そうてい》どおりだったらすべて見《み》るようにする。

このような視聴方法《しちょうほうほう》が流行《はや》っているのです。

その背景《はいけい》には、オンデマンドのコンテンツが広《ひろ》まったことで、番組表《ばんぐみひょう》やお金《かね》にしばられず、多数《たすう》の作品《さくひん》のなかから見《み》たいものを見《み》られるようになったという事《じ》情《じょう》があります。

見《み》たいものを好《す》きなときに見《み》られるからこそ、なるべく少《すく》ない時間《じかん》で、自《じ》分《ぶん》にとってよいものを見《み》ようと吟味《ぎんみ》するのです。

かりに、おもしろくないものであれば、それは自《みず》らにとってのデメリット、あるいはコストとしてスキップされてしまいます。

スキップされるのは、コンテンツそのものだけでなく、あるコンテンツのあるシーンなど、かなり細《こま》かくなっています。

たとえば、恋愛《れんあい》ドラマにおいて、直接恋愛《ちょくせつれんあい》に関係《かんけい》しないシーン（恋愛当事者《れんあいとうじしゃ》以《い》外《がい》の掛《か》け合《あ》いなど）は、結論《けつろん》に不要《ふよう》なものとしてスキップされてしまうことがあります。

「どんな人《ひと》とも友《とも》だちになれる」からこそ生《う》まれる問題《もんだい》

友《とも》だち関係《かんけい》、人間関係《にんげんかんけい》についても同《おな》じです。

私《わたし》たちは友《とも》だちをつくろうとがんばると同時《どうじ》に、なるべく「よい友《とも》だち」をもとうとも考《かんが》えます。どうせならよい友《とも》だちをつくりたいという発想《はっそう》は、なんら不思議《ふしぎ》ではありません。

ただ、くわしくは第3章《だいしょう》以降《いこう》で説明《せつめい》しますが、この**「どうせならよい友《とも》だちをつくりたい」という発想《はっそう》は、現代《げんだい》に見《み》られがちなもの**といえます。

というのも、現代《げんだい》における友《とも》だちは、環境《かんきょう》や社会《しゃかい》の役割《やくわり》で決《き》められた人《ひと》から選《えら》ぶのではなく、さまざまなつながりからあるていど、自由《じゆう》に選《えら》べるからです。

たとえば、同《おな》じクラスや部活《ぶかつ》・サークルにいるからといって、友《とも》だちになる必要《ひつよう》はありません。

環境《かんきょう》や社会《しゃかい》の役割《やくわり》に拘束《こうそく》されていないということは、関係性《かんけいせい》をあるていど自由《じゆう》に選《えら》べることを意味《いみ》します。**あなたがどんな人《ひと》と友《とも》だちになるかは、基本的《きほんてき》には自由《じゆう》なのです。**友《とも》だちをつくる・つくらないも、究極的《きゅうきょくてき》には自由《じゆう》です。

だからこそ私《わたし》たちは、「友《とも》だちなんかいらない」とつながりから閉《と》じた方向《ほうこう》に行《い》くこともできます。

コンテンツ視聴《しちょう》の例《れい》でも見《み》たように、**私《わたし》たちは、なんらかのものを「自由《じゆう》に選《えら》んでよい」といわれると、自身《じしん》にとってもっともよいものを選《えら》ぼうと考《かんが》えがちです。**だれも損《そん》をしたくないからです。友《とも》だちとのつき合《あ》いは、相手《あいて》の了承《りょうしょう》がいるという点《てん》を除《のぞ》けば、本質的《ほんしつてき》には自由《じゆう》に選《えら》ぶことができます。

それゆえ、**友《とも》だちづき合《あ》いではメリット・デメリットやコスト・パフォーマンスの理論《りろん》が入《はい》りやすくなります。**「メリットにならないからあの人《ひと》とは友《とも》だちにならない」「コストがかかるからあの集《あつ》まりには行《い》かない」といった理屈《りくつ》です。

本書《ほんしょ》の冒頭《ぼうとう》で、私《わたし》の教《おし》える学生《がくせい》は、友《とも》だちの条件《じょうけん》として「合理的《ごうりてき》ではない」ことをあげていました。

その理想《りそう》とは裏腹《うらはら》に、友《とも》だち関係《かんけい》は本来《ほんらい》、自由《じゆう》であるがゆえに、メリット・デメリットなどの合理的《ごうりてき》な発想《はっそう》が入《はい》りやすいという特徴《とくちょう》があるのです。

「友《とも》だち」を選《えら》べるのはあなただけではない

人《ひと》との関係性《かんけいせい》をメリット・デメリットで仕分《しわ》けする考《かんが》え方《かた》は、ふたつの意味《いみ》で注意《ちゅうい》が必要《ひつよう》です。

第一《だいいち》には、**メリット・デメリットやコスト・パフォーマンスの発想《はっそう》は、自《じ》分《ぶん》にも跳《は》ね返《かえ》ってくる**ことです。

友《とも》だち関係《かんけい》というのは、思《おも》いが双方向《そうほうこう》で通《つう》じることにより成《な》り立《た》ちます。一方《いちほう》向《こう》の思《おも》いだけではバランスが悪《わる》いのです。

恋愛関係《れんあいかんけい》と同様《どうよう》、片思《かたおも》いではなかなか友《とも》だち関係《かんけい》にはなれません。

あなたが、メリット・デメリットやコスト・パフォーマンスを考《かんが》えて相手《あいて》を選《えら》ぶ権利《けんり》があるように、相手《あいて》にも同《おな》じ権利《けんり》があります。

つまり、あなたがつき合《あ》いたいと考《かんが》えている相手《あいて》も、あなたのさまざまな要素《ようそ》を吟味《ぎんみ》し、つき合《あ》うに値《あたい》すればつき合《あ》う、ということができるのです。

そうなると、友《とも》だち関係《かんけい》には、それぞれの人《ひと》がもつ力《ちから》の量《りょう》が反映《はんえい》されやすくなります。

ここでいう「力《ちから》」とは、外見的《がいけんてき》な魅力《みりょく》や、話《はなし》のおもしろさ、経済的《けいざいてき》な力《ちから》、頭《あたま》のよさ、運動能力《うんどうのうりょく》といったものです。

相手《あいて》から見《み》て多《おお》くの魅力《みりょく》をもつ人《ひと》は、たくさんのメリットをもたらす人《ひと》、コスパの高《たか》い人《ひと》と判断《はんだん》され、多《おお》くの人《ひと》に声《こえ》をかけられます。

一方《いっぽう》、魅力《みりょく》に乏《とぼ》しい人《ひと》は相手《あいて》にメリットを感《かん》じてもらうことができず、つながりの輪《わ》に入《はい》ることがむずかしくなります。

かりに、運《うん》よく友《とも》だちの輪《わ》に入《はい》れたとしても、魅力《みりょく》の高《たか》い人《ひと》の考《かんが》えや意見《いけん》に合《あ》わせるばかりでは、おもしろさを感《かん》じないかもしれません。

友《とも》だちの輪《わ》に入《はい》っていても、周《まわ》りの意見《いけん》に合《あ》わせて笑顔《えがお》を浮《う》かべるばかりで、楽《たの》しそうにしていない人《ひと》をたまに見《み》かけます。

そうした人《ひと》は、友《とも》だちの輪《わ》にしがみつくために、自《みずか》らがそこにいるメリットをアピールしようと必死《ひっし》なのです。

2000年代前半《ねんだいぜんはん》から、学校《がっこう》のクラスには、スクールカーストが存在《そんざい》していると指摘《してき》されてきました。カーストとはインドに特有《とくゆう》の身分制度《みぶんせいど》です。その制度《せいど》になぞらえ、学校《がっこう》のクラスにも、魅力《みりょく》という身分《みぶん》で分《わ》かれた小集団《しょうしゅうだん》が存在《そんざい》する、といわれるようになったのです。

「スクールカースト」が生《う》まれた背景《はいけい》にあるもの

スクールカーストの存在《そんざい》は、学校《がっこう》のクラス内《ない》にもメリット・デメリットに

応《おう》じた友《とも》だち関係《かんけい》の序列《じょれつ》が現《あらわ》れていることを示《しめ》しています。

ただし、スクールカーストは、上位《じょうい》にいる人《ひと》ほど快適《かいてき》というわけでもないようです。上位《じょうい》の人《ひと》は上位《じょうい》の人《ひと》で、立場《たちば》に応《おう》じた魅力《みりょく》を維持《いじ》するために必死《ひっし》です。

そして下位《かい》の人《ひと》は、文字《もじ》どおり「下位《かい》の集《あつ》まり」であることを認識《にんしき》させられるため、きびしい学校生活《がっこうせいかつ》を送《おく》ることが多《おお》くなります。

コロナ禍《か》とオンライン化《か》で加速《かそく》した「人間関係《にんげんかんけい》のコスパ意識《いしき》」

新型《しんがた》コロナウイルス感染症《かんせんしょう》の流行《りゅうこう》は、残念《ざんねん》ながら、人間関係《にんげんかんけい》にまつわる人《ひと》びとのコスパ意識《いしき》をさらに高《たか》めてしまいました。

コロナ禍《か》が地震《じしん》などの災害《さいがい》と異《こと》なるのは、人間関係《にんげんかんけい》をうすくする方向《ほうこう》に作《さ》用《よう》したことです。

通常《つうじょう》の災害《さいがい》であれば、同《おな》じ困難《こんなん》に直面《ちょくめん》した多《おお》くの人《ひと》が協力《きょうりょく》し合《あ》うようになるため、人《ひと》びとの連帯《れんたい》は強《つよ》まります。

たとえば、２０１１年《ねん》に起《お》きた東日本大震災《ひがしにほんだいしんさい》では、折《お》りに触《ふ》れて「絆《きずな》」が強調《きょうちょう》されました。

災害《さいがい》が起《お》きると、たいへんなときだからこそ助《たす》け合《あ》おうという空気《くうき》が生《う》まれるのです。

しかし、**コロナ禍《か》ではほかの人《ひと》との接触《せっしょく》が悪《あく》と見《み》なされ、「不要不急《ふようふきゅう》」のレッテルを貼《は》られました。**

ひとたび人《ひと》との接触《せっしょく》が「不要不急《ふようふきゅう》」と見《み》なされると、私《わたし》たちは「必要緊急《ひつようきんきゅう》」な人《ひと》とのみ会《あ》うようになります。

とはいえ、なにが「必要緊急《ひつようきんきゅう》」な事態《じたい》かなど、そうかんたんに判断《はんだん》できません。

コロナ禍《か》という非常事態《ひじょうじたい》は、日本社会《にっぽんしゃかい》に住《す》む人全員《ひとぜんいん》に対《たい》して私《わたし》たちにとって必要《ひつよう》な（メリットの高《たか》い）つながりはなにか、吟味《ぎんみ》するようにうながしました。いわば、つながりの棚卸《たなおろ》しを行《おこな》ったのです。

その結果《けっか》、メンバー全員《ぜんいん》が参加《さんか》する親睦会《しんぼくかい》や懇親会《こんしんかい》などがだんだん減《へ》り、だれかと会《あ》うには、それ相応《そうおう》の理由《りゆう》（メリット）が求《もと》められるようになったのです。

また、オンライン化《か》の進展《しんてん》は、この傾向《けいこう》にさらに拍車《はくしゃ》をかけてゆきます。

コロナ禍《か》をつうじて、オンラインでの交流《こうりゅう》は、私《わたし》たちの生活《せいかつ》により深《ふか》く入《はい》りこみました。

「直接会《ちょくせつあ》わずとも、オンラインで済《す》むものはそれでよかろう」という気運《きうん》が高《たか》まったのです。

たしかにオンラインの交流《こうりゅう》は便利《べんり》です。移動《いどう》の時間《じかん》は省《はぶ》けるし、交通費《こうつうひ》もかかりません。

その一方《いっぽう》で、オンラインの交流《こうりゅう》の浸透《しんとう》は、対面《たいめん》での交流《こうりゅう》のハードルをさらに上《あ》げてしまいました。

オンラインの環境《かんきょう》が整備《せいび》されると、私《わたし》たちは、対面《たいめん》でだれかと会《あ》うためには、それに足《た》るだけのメリットを提示《ていじ》するよう求《もと》められます。

オンラインの交流《こうりゅう》が普及《ふきゅう》することで、私《わたし》たちのつながりのなかに、コスパの論《ろん》理《り》がさらに深《ふか》く入《はい》りこんだのです。

夏休《なつやす》み
そういえば ちょっと宿題《しゅくだい》で 教《おし》えてほしい とこあるから 会《あ》えない？
え どこ？
あのね 3ページの…
それくらいなら… ビデオ通話《つうわ》でも いい？
あ そうだね…
直接《ちょくせつ》会《あ》って いろいろ話《はな》し たかったん だけどな…

「友《とも》だちは必要《ひつよう》だ」という意識《いしき》から自由《じゆう》になる

「友《とも》だち」という関係《かんけい》のあり方《かた》は自由《じゆう》を前提《ぜんてい》とするので、そもそもコスパの論理《ろんり》が入《はい》りやすいものです。

何事《なにごと》も「目的《もくてき》」と「結果《けっか》」でとらえ、合理性《ごうりせい》を求《もと》める現代社会《げんだいしゃかい》は、コロナ禍《か》も相《あい》まって、その傾向《けいこう》を加速《かそく》させています。

環境《かんきょう》や役割《やくわり》に拘束《こうそく》されない自由《じゆう》さは、友《とも》だち関係《かんけい》の大《おお》きな魅力《みりょく》です。

しかし、その魅力《みりょく》ゆえに、友《とも》だち関係《かんけい》には、理想《りそう》とは真逆《まぎゃく》の「合理性《ごうりせい》」が入《はい》りやすくなってしまう、というのは皮肉《ひにく》なことです。

メリット・デメリットや、コスパばかりを意識《いしき》する友《とも》だち関係《かんけい》は、多《おお》くの人《ひと》にとって居心地《いごこち》のよいものではないでしょう。

友《とも》だちの輪《わ》にいても、つねにほかの人《ひと》から見定《みさだ》められているような気《き》もちにさせられます。

このような状況《じょうきょう》から脱《だっ》するためにも、私《わたし》は「友《とも》だちがほしい」「友《とも》だちが必要《ひつよう》」という重荷《おもに》を降《お》ろしてよいのではないか、と思《おも》うのです。

多《おお》くの人《ひと》と「知《し》り合《あ》い」としてフラットに、かつ、複数《ふくすう》の場《ば》でつながりつつ、ゆっくりと友《とも》だちになってゆけばよいのです。

長期的《ちょうきてき》な視点《してん》で考《かんが》えるメリット・デメリット

人《ひと》との関係性《かんけいせい》をメリット・デメリットで仕分《しわ》けするときに覚《おぼ》えておくべき第二《だいに》の注意点《ちゅういてん》は、**メリット・デメリット、コスト・パフォーマンスという考《かんが》え方《かた》は、それほど厳密《げんみつ》なものではない**ということです。

私《わたし》たちは当《あ》たり前《まえ》のように、物事《ものごと》のメリット・デメリットを考《かんが》え、コスパを意《い》識《しき》して行動《こうどう》を起《お》こします。

しかし、**メリット・デメリットは、そうかんたんにわかるものではありません。**最初《さいしょ》はマイナスだと思《おも》っていたことが、振《ふ》り返《かえ》るとプラスになっていたなんていうことはよくあります。

寄《よ》り道《みち》は、しているときは、ムダと思《おも》えるかもしれません。

しかし、寄《よ》り道《みち》をしたからこそ新《あら》たな気《き》づきを得《え》られたり、物事《ものごと》を深《ふか》く考《かんが》えられるようになったりすることもあります。たとえばノーベル賞級《しょうきゅう》の発見《はっけん》の多《おお》くは、だれもが見向《みむ》きもしない研究《けんきゅう》から始《はじ》まっているそうです。**人《ひと》とのつき合《あ》いまでメリット・デメリットで考《かんが》えると、偶然《ぐうぜん》の出会《であ》いはなくなってゆきます。**そうなると私《わたし》たちは、自分《じぶん》と異《こと》なった考《かんが》えの人《ひと》に出会《であ》って見聞《けんぶん》を広《ひろ》めたり、意外《いがい》な出会《であ》いから仲《なか》を深《ふか》めたりすることがむずかしくなるでしょう。だからこそ、**初《はじ》めからメリット・デメリットでつき合《あ》いを選別《せんべつ》するのではなく、つながりの場《ば》にとどまることが大事《だいじ》**なのです。

とはいえ、「ついついメリット・デメリットを考《かんが》えてしまう」という人《ひと》もいるでしょう。それもわかります。私《わたし》も同《おな》じです。

そんな方々《かたがた》には、私《わたし》の好《す》きな研究《けんきゅう》のお話《はなし》をしましょう。

ゲーム論《ろん》から考《かんが》える人《ひと》づき合《あ》いのコツ

社会学《しゃかいがく》・経済学《けいざいがく》・心理学《しんりがく》などには、人《ひと》のつき合《あ》いを数学的《すうがくてき》なモデルから検討《けんとう》する「ゲーム論《ろん》」という分野《ぶんや》があります。そのなかには相手《あいて》と良好《りょうこう》な関係《かんけい》を築《きず》くことをテーマにした研究《けんきゅう》もあります。**ゲーム論《ろん》は数学的《すうがくてき》に人間関係《にんげんかんけい》を読《よ》み解《と》くので、導《みちび》かれる最適解《さいてきかい》は、もっとも合理的《ごうりてき》なものになります。**

私《わたし》が読《よ》んだのは、複数《ふくすう》の相手《あいて》と長期間交流《ちょうきかんこうりゅう》するときに、もっとも得点《とくてん》を稼《かせ》ぐ、すなわち、もっとも合理的《ごうりてき》な戦略《せんりゃく》について検討《けんとう》したロバート・アクセルロッドの研究《けんきゅう》です。

ゲームには複数《ふくすう》のプレイヤーがいて、それぞれがふたりずつ、個別《こべつ》の相手《あいて》と複数回《ふくすうかい》、総当《そうあ》たりで対戦《たいせん》します。たとえばＡ《エー》、Ｂ《ビー》、Ｃ《シー》という３人《にん》のプレイヤーがいたら、Ａ《エー》とＢ《ビー》、Ａ《エー》とＣ《シー》、Ｂ《ビー》とＣ《シー》でそれぞれ複数回対戦《ふくすうかいたいせん》し、合計得点《ごうけいとくてん》を競《きそ》います。アクセルロッドの研究《けんきゅう》では、プレイヤーは生身《なまみ》の人間《にんげん》ではなく、ゲーム論《ろん》の専門家《せんもんか》が考《かんが》え出《だ》したプログラムです。つまり、各《かく》プログラムが総当《そうあ》たりで複数回《ふくすうかい》、対戦《たいせん》するわけです。

ゲームのかんたんなルールは以下《いか》のとおりです。

対戦《たいせん》するプレイヤー（Ａ《エー》とＢ《ビー》）は、１回《かい》のゲームで「信頼《しんらい》」と「裏切《うらぎ》り」いずれかを選択《せんたく》します。このとき、A《エー》とB《ビー》が双方《そうほう》とも「信頼《しんらい》」を選《えら》んだら、A《エー》にもB《ビー》にもそれぞれ3点《てん》が入《はい》ります。反対《はんたい》にA《エー》とB《ビー》が双方《そうほう》とも「裏切《うらぎ》り」を選《えら》んだら、それぞれ1点《てん》ずつしか入《はい》りません。

もし、A《エー》が「信頼《しんらい》」を選《えら》び、B《ビー》が「裏切《うらぎ》り」を選《えら》んだら、A《エー》は0点《てん》、B《ビー》が5点《てん》獲得《かくとく》します。逆《ぎゃく》の場合《ばあい》はA《エー》に5点《てん》が入《はい》り、B《ビー》に点《てん》は入《はい》りません。

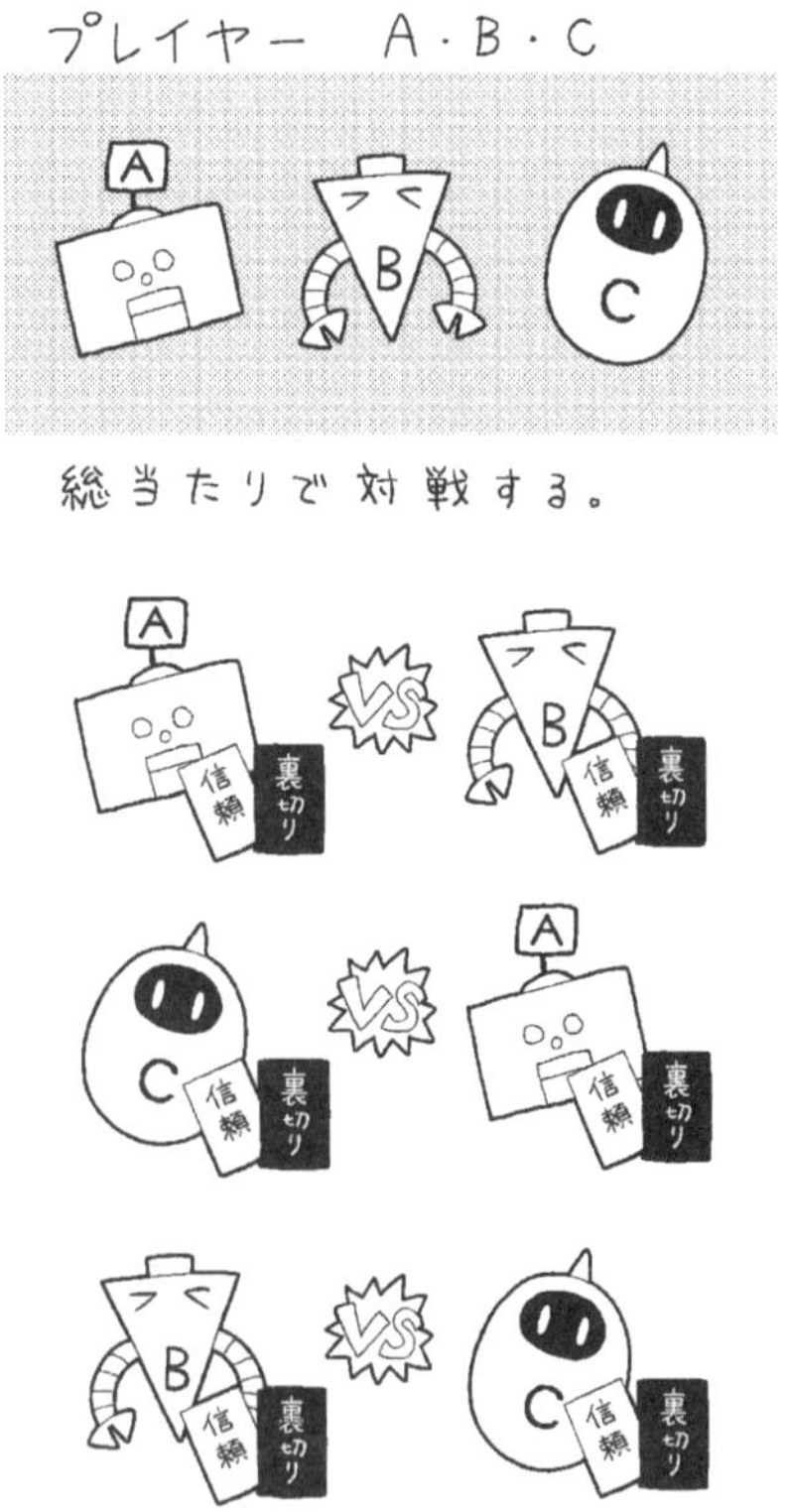

ルール

1回《かい》のゲームで「信頼《しんらい》」か「裏切《うらぎ》り」を選《えら》ぶ。

(1) 双方《そうほう》とも「信頼《しんらい》」だった場合《ばあい》：
双方《そうほう》ともに3点《てん》

(2) 双方《そうほう》とも「裏切《うらぎ》り」だった場合《ばあい》：
双方《そうほう》ともに1点《てん》

(3) 片方《かたほう》が「信頼《しんらい》」、片方《かたほう》が「裏切《うらぎ》り」の場合《ばあい》：
「裏切《うらぎ》り」を選《えら》んだほうに5点《てん》、
「信頼《しんらい》」を選《えら》んだほうは0点《てん》

このゲームのポイントは、それぞれが相手《あいて》を出《だ》し抜《ぬ》いたとき（自分《じぶん》が「裏切《うらぎ》り」で相手《あいて》が「信頼《しんらい》」のとき）にもっとも高《たか》い得点《とくてん》が入《はい》ることです。

　このようなゲームを、共犯《きょうはん》のふたりの囚人《しゅうじん》の「自由《じゆう》」と「沈黙《もくひ》」にあてはめて「囚人《しゅうじん》のジレンマゲーム」といいます。囚人《しゅうじん》のジレンマゲームでは、この絶妙《ぜつみょう》な得点設定《とくてんせってい》から、人《ひと》との協力《きょうりょく》をどのようにつくるか分析《ぶんせき》・検討《けんとう》します。さて、このゲームでもっとも多《おお》くの得点《とくてん》を稼《かせ》いだのは、研究者《けんきゅうしゃ》にとって予想外《よそうがい》に単純《たんじゅん》なプログラムでした。

優勝《ゆうしょう》したのは、ゲームの1回目《かいめ》はまず相手《あいて》に協力《きょうりょく》し、そのあとはつねに1回前《かいまえ》の相手《あいて》の選択《せんたく》をまねる「しっぺ返《がえ》し」という戦略《せんりゃく》だったのです。

　このプログラムの特徴《とくちょう》は、

●相手《あいて》に害《がい》を与《あた》えられたら即座《そくざ》に反応《はんのう》する
●自分《じぶん》からは決《けっ》して裏切《うらぎ》らず、相手《あいて》に花《はな》をもたせる

のふたつです。

　このふたつは現実《げんじつ》の友人関係《ゆうじんかんけい》にも色濃《いろこ》く関《かか》わってきます。順《じゅん》に説明《せつめい》しましょう。

ゲーム論《ろん》の結果《けっか》を「友《とも》だちづき合《あ》い」に応用《おうよう》してみる

私《わたし》たちはだれかと友《とも》だちであろうとすると、必要以上《ひつよういじょう》に相手《あいて》に合《あ》わせてしまうことがあります。

ある友《とも》だちとのつながりを手放《てばな》したくないと思《おも》うほど、相手《あいて》にはっきりした物《もの》言《い》いをしにくくなります。その結果《けっか》、なんとなくイヤだと思《おも》っていることもいい出《だ》せず、笑顔《えがお》で場《ば》を乗《の》り切《き》ろうとすることも増《ふ》えるでしょう。

相手《あいて》の1回前《かいまえ》の選択《せんたく》をそのまままねる、しっぺ返《がえ》し戦略《せんりゃく》は、相手《あいて》に裏切《うらぎ》られたら即座《そくざ》に拒否反応《きょひはんのう》を示《しめ》します（自《みずか》らも裏切《うらぎ》りに転《てん》じます）。

これを友《とも》だちづき合《あ》いに当《あ》てはめると、**私《わたし》たちは友《とも》だちであっても、イヤな気《き》もちを感《かん》じたときには、それなりにはっきり伝《つた》えたほうがよい**ということです。気《き》もちを伝《つた》えて、それでもダメなとき（相手《あいて》が協力《きょうりょく》に転《てん》じないとき）には、その関係《かんけい》はあきらめるしかないかもしれません。

しっぺ返《がえ》し戦略《せんりゃく》がすぐれているのは、相手《あいて》が心《こころ》を入《い》れ替《か》えたとき（協力《きょうりょく》に転《てん》じたとき）には、自身《じしん》も過去《かこ》を引《ひ》きずらず、すぐに相手《あいて》を受《う》け入《い》れる（自《みずか》らも協力《きょうりょく》に転《てん》じる）ところです。

いうほどかんたんではありませんが、人間関係《にんげんかんけい》の基本《きほん》であると思《おも》います。

率直《そっちょく》な物言《ものい》いは、友《とも》だちの輪《わ》からはじかれる可能性《かのうせい》を高《たか》めるため、むずかしいと感《かん》じるかもしれません。

そこでひとつ覚《おぼ》えておいてほしいのは、**つながる先《さき》は、見《み》つけようと思《おも》えば意外《いがい》とかんたんに見《み》つかる**ということです。

いまいる友《とも》だちを意識《いしき》しすぎてしまうと、目先《めさき》のつながりばかりに頭《あたま》が支配《しはい》され、外《そと》のつながりにまで目《め》が向《む》きません。

外《そと》にもつながりはたくさんある、と考《かんが》えただけで、気《き》のもちようはかなり変《か》わります。実際《じっさい》につながる先《さき》を複数《ふくすう》もっていると、なおよいでしょう。

もうひとつの「自分《じぶん》からは決《けっ》して裏切《うらぎ》らず、相手《あいて》に花《はな》をもたせる」ことは、メリット・デメリットの厳密性《げんみつせい》と密接《みっせつ》に関《かか》わります。

しっぺ返《がえ》し戦略《せんりゃく》は、基本的《きほんてき》にはお人好《ひとよ》しな戦略《せんりゃく》です。

まず、相手《あいて》に協力的《きょうりょくてき》に接《せっ》し、相手《あいて》が協力《きょうりょく》してくれるかぎりは、決《けっ》して自分《じぶん》から裏切《うらぎ》ることはない。

この戦略《せんりゃく》がおもしろいのは、各《かく》プログラムとの個別《こべつ》の対戦結果《たいせんけっか》は負《ま》けているのに、合計点《ごうけいてん》になると高《たか》くなるというところです。

つまり、だれ（どのプログラム）と交流《こうりゅう》（対戦《たいせん》）しても、相手《あいて》を立《た》てつつも、自身《じしん》もうまくすごしてゆけるということです。

まさに、情《なさ》けは人《ひと》のためならず。「しっぺ返《がえ》し」戦略《せんりゃく》の強《つよ》さから思《おも》い浮《う》かぶのは、**目先《めさき》の利益《りえき》を考《かんが》えず、まず相手《あいて》を立《た》てて、相手《あいて》から感謝《かんしゃ》されているうちに幸《しあわ》せになる人間像《にんげんぞう》**です。

私《わたし》は、この結果《けっか》が、合理的《ごうりてき》な人間《にんげん》を想定《そうてい》するゲーム論《ろん》の研究《けんきゅう》から導《みちび》かれたことに感銘《かんめい》を受《う》けました。

人間関係《にんげんかんけい》の指南書《しなんしょ》で説得《せっとく》されるよりも、ゲーム論《ろん》で合理的《ごうりてき》に示《しめ》されたことにかえって納得《なっとく》がいったのです。

コミュニケーションの技法《ぎほう》を学《まな》んでも得《え》られないもの

目先《めさき》のメリット・デメリットで人《ひと》を判断《はんだん》し、選別《せんべつ》するよりも、まず協力《きょうりょく》の姿勢《しせい》で人《ひと》と会《あ》い、関係《かんけい》をつづけてゆく。そのとき、相手《あいて》の対応《たいおう》があまりにもひどければ、その思《おも》いは腹《はら》に納《おさ》めずに率直《そっちょく》に伝《つた》える。

シンプルではありますが、そうした関係《かんけい》が、いちばん気分《きぶん》がよいのではないかと思《おも》います。

とはいえ、**協力《きょうりょく》の姿勢《しせい》を示《しめ》す、不満《ふまん》については率直《そっちょく》に伝《つた》える。それじたいがむずかしいと感《かん》じる人《ひと》もたくさんいるでしょう。**

私《わたし》もそうです。相手《あいて》に協力《きょうりょく》してばかりいると、「いったい、いつまでこの人《ひと》に協力《きょうりょく》すればいいのだろう」「この人《ひと》はほんとうに、感謝《かんしゃ》を感《かん》じているのだろうか」などと心《こころ》の狭《せま》いことを考《かんが》えます。

また、率直《そっちょく》に思《おも》いを伝《つた》えるといっても、「思《おも》いを伝《つた》えたらめんどうくさいことになるのだろうなぁ」「いってめんどうになるくらいなら我慢《がまん》したほうがよかろう」などとあれこれ考《かんが》えてしまいます。

おそらく、みんなそんなものなのです。

こういった悩《なや》みは、おそらくコミュニケーションの技法《ぎほう》を学《まな》んでも解消《かいしょう》さ

れません。人《ひと》の考《かんが》えは多様《たよう》であり、その多様性《たようせい》をふまえたマニュアルをつくるのは、そもそも不可能《ふかのう》だからです。

このような事態《じたい》に接《せっ》したときの作法《さほう》は、いろいろな人《ひと》と知《し》り合《あ》い、数々《かずかず》の友《とも》だちとの別《わか》れやいさかいを経《へ》なければ、わかりません。

結局《けっきょく》のところ、人《ひと》と接《せっ》する経験《けいけん》が必要《ひつよう》なのです。

長《なが》い時間《じかん》を経《へ》て身《み》につけた作法《さほう》だからこそ、自分自身《じぶんじしん》にしっくりくるものとなるのです。残念《ざんねん》ながらそこに近道《ちかみち》はありません。

ただし、そうした作法《さほう》を身《み》につけるにあたっても、軸《じく》となる考《かんが》えは必要《ひつよう》だと思《おも》います。

だからこそ私《わたし》は、目先《めさき》のメリット・デメリットで人《ひと》づき合《あ》いを判断《はんだん》したり、協《きょう》力《りょく》しつづけるのは疲《つか》れると感《かん》じたりしたときには、「**合理性《ごうりせい》を軸《じく》にしたゲーム論《ろん》でも、まず協力《きょうりょく》の姿勢《しせい》で人《ひと》と会《あ》い、関係《かんけい》をつづけてゆくことが大事《だいじ》とされている**」と考《かんが》えるようにしています。

それだけでも心《こころ》が軽《かる》くなるのです。

「人《ひと》それぞれ」という言葉《ことば》がつくりだす壁《かべ》

みなさんが知《し》り合《あ》った人《ひと》（友《とも》だちになるかもしれない人《ひと》）とつき合《あ》っていくうえで、もうひとつ意識《いしき》してほしいことがあります。

それは、**「人《ひと》それぞれ」という考《かんが》えに向《む》かいすぎない**ことです。

「人《ひと》それぞれ」という言葉《ことば》は、私《わたし》の教《おし》える大学生《だいがくせい》のみならず、大人《おとな》もひんぱんに使《つか》います。「人《ひと》それぞれだからなぁ」という言葉《ことば》は、話《はなし》を収《おさ》める定番《ていばん》の言《い》い回《まわ》しでしょう。

この言葉《ことば》には、相手《あいて》の発言《はつげん》や態度《たいど》を受《う》け入《い》れているような響《ひび》きがあります。「人《ひと》それぞれに考《かんが》えがあるのだから押《お》しつけはやめましょう」といった言《い》い回《まわ》しです。

その一方《いっぽう》で、**「人《ひと》それぞれ」という言葉《ことば》は、相手《あいて》と距離《きょり》をおくときにも、ひんぱんに使《つか》われます。**

なにかを話《はな》しているときに「人《ひと》それぞれだから」といわれて、なんとなく突《つ》き放《はな》されたような気《き》もちになったことはありませんか。

あるテーマで深《ふか》く話《はな》し合《あ》いたいと思《おも》ったときに「人《ひと》それぞれだから」といわれてしまうと、相手《あいて》から壁《かべ》をつくられたようなさみしさを感《かん》じます。

私《わたし》たちは、友《とも》だち関係《かんけい》にとらわれ、友《とも》だちに過剰《かじょう》に合《あ》わせてしまう一面《いちめん》をもっています。他方《たほう》、**友《とも》だちであれだれであれ、「人《ひと》それぞれ」と突《つ》き放《はな》す側面《そくめん》ももち合《あ》わせている**のです。

自分《じぶん》を守《まも》るために使《つか》う「人《ひと》それぞれ」

ではなぜ、「人《ひと》それぞれ」という言葉《ことば》が、そこまで使《つか》われるようになったのでしょうか。

その理由《りゆう》は社会《しゃかい》の変化《へんか》と密接《みっせつ》に関係《かんけい》しています。

「一人《ひとり》ひとりの気《き》もちや考《かんが》えを大切《たいせつ》にしましょう」

みなさんはこの言葉《ことば》を、小学校《しょうがっこう》、中学校《ちゅうがっこう》、高校《こうこう》、あるいは家《いえ》のなかなど、さまざまな場《ば》で聞《き》いてきたことでしょう。

というのも、**私《わたし》たちの社会《しゃかい》は、「一人《ひとり》ひとりの気《き》もちや考《かんが》えを大切《たいせつ》にする」という価値観《かちかん》のもとに成《な》り立《た》っている**からです。

この考《かんが》え方《かた》じたいはすばらしいものです。

一人《ひとり》ひとりの気《き》もちや考《かんが》えが尊重《そんちょう》され、そうした人《ひと》びとがたがいに結《むす》びつく社《しゃ》会《かい》は理想的《りそうてき》だといえるでしょう。

しかし、話《はなし》はそうかんたんにはいきません。

というのも、**一人《ひとり》ひとりの気《き》もちや考《かんが》えを大切《たいせつ》にした結果《けっか》、かえって相手《あいて》との距離《きょり》が広《ひろ》がってしまう**、ということもあるからです。

そもそも、「一人《ひとり》ひとりの気《き》もちや考《かんが》えを大切《たいせつ》にする」とは、どういうことでしょうか。

すぐに思《おも》いつくのは、「**相手《あいて》の考《かんが》えを否定《ひてい》せずに受《う》け入《い》れる**」という姿勢《しせい》です。

ではそのとき、自分《じぶん》が相手《あいて》と異《こと》なる意見《いけん》や考《かんが》えをもっていたらどうしますか。

そんなときに、ちがう意見《いけん》をいったら、相手《あいて》は「自分《じぶん》の考《かんが》えを否定《ひてい》された」と受《う》けとるかもしれません。

そこで相手《あいて》との関係《かんけい》を修復《しゅうふく》できればいいですが、うまくいくとはかぎりません。

その意味《いみ》で、**異《こと》なった考《かんが》えの表明《ひょうめい》は、相手《あいて》との関係《かんけい》を乱《みだ》すリスクのある行《こう》**

為《い》といえるでしょう。

そもそも、「だれかを否定《ひてい》したかどうか」の線引《せんび》きは、じつはそこまで明確《めいかく》ではありません。

結局《けっきょく》のところ、その言葉《ことば》を受《う》け止《と》める相手《あいて》の気《き》もちに委《ゆだ》ねられています。状態《じょうたい》のあり方《かた》が気《き》もちに委《ゆだ》ねられるという点《てん》では、友《とも》だちととてもよく似《に》ています。

異《こと》なる意見《いけん》や考《かんが》えの表明《ひょうめい》にリスクがともなうならば、相手《あいて》の意見《いけん》や考《かんが》えにはあまり踏《ふ》みこまず、場《ば》を収《おさ》めておくのが無難《ぶなん》でしょう。

そうしたときに「人《ひと》それぞれ」という言葉《ことば》は重宝《ちょうほう》されるのです。

自分《じぶん》とは異《こと》なる考《かんが》えに出合《であ》ったとき、なんとなく「ちがうなぁ」と思《おも》いながら人《ひと》の話《はなし》を聞《き》いている状況《じょうきょう》を想像《そうぞう》してみてください。

そのとき「人《ひと》それぞれ」といっておけば、ひとまず、緊張《きんちょう》を高《たか》めることなくその場《ば》をやりすごすことができます。

私《わたし》たちは「人《ひと》それぞれ」という言葉《ことば》を使《つか》いながら、他者《たしゃ》と距離《きょり》をおき、緊《きん》張《ちょう》や葛藤《かっとう》にさらされそうな場《ば》から自身《じしん》を守《まも》っているのです。

「人《ひと》それぞれ」を口《くち》にする前《まえ》に立《た》ち止《ど》まる

「一人《ひとり》ひとりの気《き》もちや考《かんが》えを大切《たいせつ》にする」ことは、いまや世《よ》のなかのルールといってよいでしょう。

だからこそ、そういったルールを守《まも》れずだれかを否定《ひてい》してしまった人《ひと》は、きびしく罰《ばっ》せられることもあります。

仲間内《なかまうち》で空気《くうき》を読《よ》めない発言《はつげん》を重《かさ》ねたため、友《とも》だち関係《かんけい》から外《はず》されてしまう。ある発言《はつげん》を「多様性《たようせい》の原則《げんそく》に反《はん》する」と解釈《かいしゃく》されてしまったため、重要《じゅうよう》なポストから外《はず》されてしまう。

そのようなことはよく耳《みみ》にします。

こうした社会《しゃかい》ですごしていれば、「一人《ひとり》ひとりの気《き》もちや考《かんが》えを大切《たいせつ》にしていない」と判断《はんだん》されるリスクをおそれて、「人《ひと》それぞれ」に逃《に》げこむ気《き》もちもわかります。

しかし、**あらゆることを「人《ひと》それぞれ」と考《かんが》え、他者《たしゃ》との間《あいだ》に壁《かべ》をつくってしまうと、だれかと深《ふか》い関係《かんけい》を築《きず》くのはむずかしくなります。**

それこそ、友《とも》だち関係《かんけい》などは結《むす》びにくくなるのです。

では、どうすればよいのでしょうか。

私《わたし》は、**無理《むり》に自《みずか》らの意見《いけん》を表明《ひょうめい》しようとする必要《ひつよう》はない**と思《おも》っています。

物事《ものごと》には段階《だんかい》があります。

まずは、「人《ひと》それぞれ」という言葉《ことば》を使《つか》ってしまいそうなときに、一瞬《いっしゅん》でも立《た》ち止《ど》まって考《かんが》える癖《くせ》をつけましょう。

そのとき、やっぱり「人《ひと》それぞれ」で済《す》ませたほうがよい、と判断《はんだん》したのであればそれでよいのです。

立《た》ち止《ど》まって考《かんが》えるだけで、ものの見方《みかた》は確実《かくじつ》に変《か》わってゆきます。

そのうえで自身《じしん》の考《かんが》え方《かた》を表明《ひょうめい》できるようになれば、なおいいでしょう。

他人《たにん》や他人《たにん》の考《かんが》えを好《す》きになれないのは「ふつう」のこと

それからもうひとつ。**「一人《ひとり》ひとりの気《き》もちや考《かんが》えを大切《たいせつ》にする」という標《ひょう》語《ご》とも現実的《げんじつてき》に向《む》き合《あ》う**ことをオススメします。

たしかに、「一人《ひとり》ひとりの気《き》もちや考《かんが》えを大切《たいせつ》にする」ことは大事《だいじ》です。自由《じゆう》を尊重《そんちょう》する社会《しゃかい》で、この原則《げんそく》を明確《めいかく》に否定《ひてい》できる人《ひと》はいないでしょう。

そこで覚《おぼ》えておいてほしいのは、**「人《ひと》の気《き》もちや考《かんが》えを大切《たいせつ》にすること」と「人《ひと》を否定《ひてい》しないこと」は決《けっ》して同《おな》じではない**、ということです。

相手《あいて》がまちがっていると思《おも》うのであれば、率直《そっちょく》に否定《ひてい》するほうが相手《あいて》のためになるケースは多々《たた》あります。

相手《あいて》のためになるかどうかはさておき、ある人《ひと》の考《かんが》え方《かた》がどうも好《す》きになれない、納得《なっとく》いかないこともあるでしょう。

それじたい、まったく珍《めずら》しいことではありません。

むしろ、「どんな人《ひと》でも、どんな考《かんが》えでも、大切《たいせつ》にできる」という人《ひと》のほうに、私《わたし》はウソくささを感《かん》じます。

だれかの考《かんが》え、あるいはだれかのあり方《かた》を好《す》きになれないのは、ふつうのことなのです。

重要《じゅうよう》なのは、そこで「人《ひと》それぞれ」と処理《しょり》し、つながりの回路《かいろ》を閉《と》ざしてしまうのではなく、**否定的《ひていてき》な感情《かんじょう》を抱《いだ》きつつも、その考《かんが》えを理解《りかい》しようと努《つと》め、なにかをともにやっていけるような関係《かんけい》を築《きず》くこと**です。

そうしたつながりをつうじて、これまでの「友《とも》だち」からは得《え》られなかった新《あたら》しい考《かんが》えを身《み》につけられたり、長年《ながねん》つき合《あ》っていくうちに仲《なか》よくなったりすることがあるかもしれません（もちろん、そのまま疎遠《そえん》になることもあります）。

否定的《ひていてき》な感覚《かんかく》を抱《いだ》いた人《ひと》とでもともに時間《じかん》を重《かさ》ねることができるようになるには、「メリット・デメリット」や「人《ひと》それぞれ」ではない考《かんが》え方《かた》で人《ひと》とつき合《あ》ってゆく必要《ひつよう》があるのです。

時代《じだい》と
ともに変《か》わる
「友《とも》だち」の
かたち

第《だい》3章《しょう》

いまも昔《むかし》も変《か》わらない「友《とも》だち」の共通点《きょうつうてん》

友《とも》だちとのつながりは、私《わたし》たちにとって、いまも昔《むかし》も大《おお》きな関心事《かんしんじ》でした。

いまからおよそ2500年前《ねんまえ》の古代《こだい》ギリシアでは、すでに友情《ゆうじょう》について論《ろん》じられていました。とはいえ、そのころと現代《げんだい》では、友《とも》だちのあり方《かた》もずいぶん変《か》わっているようです。

そこでこの章《しょう》では、まず、**現代社会《げんだいしゃかい》の友《とも》だちのあり方《かた》が「かつて」の社会《しゃかい》のものからどのように変《か》わってきたのか**をまとめましょう。それをふまえ、現代社会《げんだいしゃかい》の友《とも》だち関係《かんけい》の息苦《いきぐる》しさ、むずかしさを読《よ》み解《と》いてゆきます。

現代社会《げんだいしゃかい》の友《とも》だち関係《かんけい》と、「かつて」の友《とも》だち関係《かんけい》のちがいを述《の》べる前《まえ》に、友《とも》だち関係《かんけい》の変《か》わっていない部分《ぶぶん》について、かんたんに触《ふ》れておきましょう。

現代《げんだい》とかつてを比較《ひかく》して、友《とも》だち関係《かんけい》で変《か》わっていない部分《ぶぶん》は、端的《たんてき》に述《の》べると、第《だい》１章《しょう》で説明《せつめい》した友《とも》だちの特徴《とくちょう》と重《かさ》なります。

つまり、**友《とも》だちには、関係《かんけい》に対《たい》する「序列《じょれつ》づけ」の要素《ようそ》があり、かつ「あいまい」だということ**です。

「序列《じょれつ》づけ」と書《か》くと、かつての哲学者《てつがくしゃ》から、「序列《じょれつ》づけじたいが、友《とも》だちの定《てい》義《ぎ》にはなじまない」とおしかりを受《う》けそうです。というのも、打算的《ださんてき》な考《かんが》えで成《な》り立《た》つつながりに友情《ゆうじょう》はない、と考《かんが》える人《ひと》が少《すく》なからずいるからです。

しかしていねいに読《よ》み解《と》くと、**哲学者《てつがくしゃ》の論《ろん》じる友情論《ゆうじょうろん》が、友《とも》だちを、そのほかの「ふつう」のつながりよりも一段上《いちだんうえ》と見《み》なしていたことは間違《まちが》いない**、といえます。

その証拠《しょうこ》に、友情《ゆうじょう》を論《ろん》じる哲学者《てつがくしゃ》は、友情《ゆうじょう》を不要《ふよう》とする人《ひと》をのぞくと、ほぼ全《ぜん》員《いん》が友情《ゆうじょう》を仲立《なかだ》ちとする関係《かんけい》を「すばらしいもの」と位置《いち》づけています。

たとえば、古代《こだい》ギリシアの哲学者《てつがくしゃ》アリストテレスは、友《とも》を「われわれの人生《じんせい》にもっとも必要《ひつよう》なもの」としています。

すばらしさの内容《ないよう》は、自《みずか》らを高《たか》めてくれる、理想《りそう》を目指《めざ》すことができる、寄《よ》り添《そ》い受《う》け入《い》れてくれる、など論者《ろんじゃ》によってさまざまです。

その詳細《しょうさい》はさておき、**友《とも》だちは「すばらしいもの」という感覚《かんかく》は、いにしえから現代《げんだい》まで、ずっと引《ひ》き継《つ》がれています。**

友《とも》だち関係《かんけい》のすばらしさと序列《じょれつ》づけは、じつは、密接《みっせつ》な関係《かんけい》にあります。

ひじょうに細《こま》かく考《かんが》えると、「すばらしいもの」が存在《そんざい》するためには、それと対比《たいひ》される「すばらしくないもの」や「ふつうのもの」が存在《そんざい》しなければなりません。「すばらしさ」は、なにかと比《くら》べたときに生《しょう》じる感覚《かんかく》だからです。

それゆえ**私《わたし》たちは、なにかを「すばらしい」と感《かん》じた瞬間《しゅんかん》から、そこに「すばらしいもの」と「すばらしくないもの」を分《わ》ける視線《しせん》を入《い》れてしまいます。**

友情《ゆうじょう》を「すばらしいもの」と位置《いち》づければ、その裏側《うらがわ》には、序列的《じょれつてき》に劣《おと》る関係《かんけい》が必然的《ひつぜんてき》に存在《そんざい》するのです。

プラトンが考《かんが》えた「友情《ゆうじょう》」とは

あいまいさについては、最古《さいこ》の友情論《ゆうじょうろん》を展開《てんかい》したといわれる、古代《こだい》ギリシアの哲学者《てつがくしゃ》プラトンの友情論《ゆうじょうろん》から検討《けんとう》しましょう。

プラトンの残《のこ》した文章《ぶんしょう》の多《おお》くは、対話《たいわ》というかたちをとっています。すなわち、師《し》であるソクラテスと弟子《でし》たちとの対話《たいわ》から、特定《とくてい》のテーマに対《たい》する議論《ぎろん》を深《ふか》めてゆく形式《けいしき》をとります。

あるときの題材《だいざい》は「友《とも》」でした。

ここでプラトンは、師《し》ソクラテスに「友《とも》を得《え》ることに恋《こ》い焦《こ》がれる」「まず友《とも》を手《て》に入《い》れたいと思《おも》っている」と友《とも》の重要性《じゅうようせい》を語《かた》らせます。そのうえで、真《しん》の友《とも》とはどのようなものかを語《かた》り合《あ》います。

自分《じぶん》に益《えき》をもたらすのが友《とも》なのか。一方《いっぽう》が他方《たほう》を愛《あい》するだけでよいのか。似《に》たものどうしと異質《いしつ》なものどうしのどちらがよいのか……など、議論《ぎろん》は多方面《たほうめん》におよびます。

長《なが》い議論《ぎろん》を経《へ》た結果《けっか》、結局《けっきょく》「**友《とも》とはなんであるか見《み》つけることができなかった**」とソクラテスは語《かた》ります。しかしその一方《いっぽう》で、「**自分《じぶん》たちはたがいに友《とも》だと考《かんが》えている**」とも語《かた》っています。このふたつの言葉《ことば》は、友《とも》だちのあいまいさの特徴《とくちょう》を明快《めいかい》に表《あらわ》しています。

これを言《い》い換《か》えると、**友《とも》とは、いくら考《かんが》えてもなかなか見《み》つけられないようなあいまいな存在《そんざい》であり、その一方《いっぽう》で、当《とう》の本人《ほんにん》たちは、たがいを友《とも》だと考《かんが》えるような存在《そんざい》**だと表現《ひょうげん》できます。

これをさらに言《い》い換《か》えると、友《とも》とは、具体的《ぐたいてき》に定義《ていぎ》するのはむずかしいけれど、おたがいが感情的《かんじょうてき》、感覚的《かんかくてき》には理解《りかい》している存在《そんざい》だといえます。これは、第《だい》1章《しょう》で友《とも》だちの特徴《とくちょう》を検討《けんとう》するさいに展開《てんかい》した議論《ぎろん》とほとんど共通《きょうつう》します。

「真《しん》の友情《ゆうじょう》」と同時《どうじ》に「偽《にせ》の友情《ゆうじょう》」も生《う》まれた

友《とも》というつながりのあいまいさは、後《あと》につづく哲学者《てつがくしゃ》に、**『真《しん》の友情《ゆうじょう》』とはなにか**」という問《と》いを残《のこ》しました。

この問《と》いにはとても皮肉《ひにく》な側面《そくめん》があります。というのも、「真《しん》の友情《ゆうじょう》」を問《と》いかけることで、その裏側《うらがわ》に「偽《にせ》の友情《ゆうじょう》」があることを意識《いしき》させてしまうからです。「偽《にせ》」があるからこそ「真《しん》」がある。つまり、**私《わたし》たちは「真《しん》の友情《ゆうじょう》」を追求《ついきゅう》しだした瞬間《しゅんかん》から、「偽《にせ》の友情《ゆうじょう》」も生《う》み出《だ》してしまった**のです。

ある友《とも》だちが「ほんとうに友《とも》だちなのか」という不安《ふあん》は、現代社会《げんだいしゃかい》を生《い》きる多《おお》くの人《ひと》びとに引《ひ》き継《つ》がれています。
大勢《おおぜい》の哲学者《てつがくしゃ》は、真《しん》の友情《ゆうじょう》をめぐって、さまざまな議論《ぎろん》や考察《こうさつ》をしています。興味《きょうみ》のある方《かた》はぜひ読《よ》んでみてください。

絆《きずな》はほんとうに壊《こわ》れないものなのか

感覚的《かんかくてき》であいまいである、という友《とも》だち関係《かんけい》の特徴《とくちょう》は、そのまま友《とも》だち関係《かんけい》のもろさにもつながってゆきます。

じつは「かつて」の友《とも》だち関係《かんけい》も、そうかんたんに「強《つよ》い」とは言《い》い切《き》れません。

『走《はし》れメロス』のような友情《ゆうじょう》の物語《ものがたり》を見《み》ていると、友情《ゆうじょう》というのは、さも壊《こわ》れにくく頑健《がんけん》なものであるかのように思《おも》われます。

おたがいに信頼《しんらい》し、強固《きょうこ》な絆《きずな》で結《むす》ばれた関係《かんけい》。それが友情《ゆうじょう》であり、そうした絆《きずな》はそうそう壊《こわ》れるものではないでしょう。

しかしながら、この点《てん》について私《わたし》は、かなり怪《あや》しいと思《おも》っています。というのも、**「真《しん》の友情《ゆうじょう》」について語《かた》っている哲学者《てつがくしゃ》は、同時《どうじ》に、そうした関係《かんけい》がいかにできにくいか、しばしば論《ろん》じているから**です。

たとえば、16世紀《せいき》のフランスの思想家《しそうか》モンテーニュは、「完全《かんぜん》かつ、完璧《かんぺき》な」友情《ゆうじょう》は「3世紀《せいき》（300年《ねん》）に一度《いちど》でもやってくれば上々《じょうじょう》」と述《の》べています。

そのくらい、友情《ゆうじょう》のある絆《きずな》はできにくいものだと考《かんが》えられていたのです。

また、**「真《しん》の友情《ゆうじょう》」だと思《おも》われたものが、じつはそうではなく、あっけなく壊《こわ》れてしまうということも、たびたび指摘《してき》されています。**

友情《ゆうじょう》について論《ろん》じた哲学者《てつがくしゃ》は、「真《しん》の友情《ゆうじょう》」に到達《とうたつ》せずに壊《こわ》れてしまう関係《かんけい》が多々《たた》あることを、たびたび述《の》べています。

日本《にっぽん》のフランス思想史研究者《しそうしけんきゅうしゃ》・髙橋安光《たかはしやすみつ》さんも、手紙《てがみ》のなかの友情《ゆうじょう》について研《けん》究《きゅう》し、「ちょっと批判《ひはん》しただけで、そのまま絶交《ぜっこう》というケースが少《すく》なくない」と友情《ゆうじょう》のはかなさを指摘《してき》していました。

「真《しん》の友情《ゆうじょう》」に支《ささ》えられた関係《かんけい》はたしかに強《つよ》いかもしれません。しかし多《おお》くのつながりは、「真《しん》の友情《ゆうじょう》」にまでは到達《とうたつ》しない、あるいは「真《しん》の友情《ゆうじょう》」に到達《とうたつ》したように見《み》えても、そうではなかったつながりなのです。

だからこそ友《とも》の存在《そんざい》は、とても貴重《きちょう》なものだと考《かんが》えられていました。

この点《てん》を知《し》ると、**友《とも》だちがいないことは、それほど特別《とくべつ》なことでもなく、はずかしいことでもないことがわかります。**

友《とも》だちなんて、そうかんたんにはできないのです。

友《とも》だちについて、なにかと考《かんが》えさせられがちな現代社会《げんだいしゃかい》。私《わたし》たちは友《とも》の原点《げんてん》をもっと理解《りかい》し、現状《げんじょう》を認識《にんしき》したほうがよいでしょう。

昔《むかし》といまで変《か》わった「友《とも》だち」のあり方《かた》

友《とも》だちという関係性《かんけいせい》があいまいで、もろく、序列的《じょれつてき》な性質《せいしつ》をもつ点《てん》は、いまも昔《むかし》も変《か》わらないことがわかりました。

では、いったいなにが変《か》わったのでしょうか。

最大《さいだい》の変化《へんか》は、**いまを生《い》きる私《わたし》たちは、かつてないほど「友《とも》だちを〝つくる〟」ことを求《もと》められている、**ということです。

少《すこ》し回《まわ》り道《みち》になりますが、そこにいたるまでの社会《しゃかい》の背景《はいけい》を説明《せつめい》しましょう。

長《なが》い歴史《れきし》をふり返《かえ》れば、私《わたし》たちの社会《しゃかい》は集団《しゅうだん》を中心《ちゅうしん》につくられてきました。
多《おお》くの人《ひと》が農業《のうぎょう》を営《いとな》んでいたころ、人《ひと》びとは、地域《ちいき》・親族《しんぞく》といった集団《しゅうだん》のなかで協力《きょうりょく》しながら生活《せいかつ》していました。

道《みち》を共同《きょうどう》で管理《かんり》・整備《せいび》したり、川《かわ》の水《みず》を共有《きょうゆう》したり、冠婚葬祭《かんこんそうさい》で集《あつ》まったりと、人《ひと》となにかを行《おこな》うことは必然《ひつぜん》であり、生活《せいかつ》のなかに入《はい》りこんでいたのです。

工業《こうぎょう》・サービス業《ぎょう》といった事業《じぎょう》が生《う》まれ、多《おお》くの人《ひと》が会社《かいしゃ》で働《はたら》くようになった後《あと》も、所属《しょぞく》する集団《しゅうだん》が会社《かいしゃ》や小《ちい》さな家族《かぞく》に変《か》わっただけで、集団生活《しゅうだんせいかつ》が中心《ちゅうしん》というスタイルは継続《けいぞく》されました。

しかし豊《ゆた》かになるにつれ、集団《しゅうだん》のあり方《かた》、つき合《あ》いのあり方《かた》もだんだん変《か》わってゆきます。**豊《ゆた》かさを得《え》ることで私《わたし》たちは、いままで人《ひと》といっしょに使《つか》わなければならなかったものを、ひとりで使《つか》えるようになり、人《ひと》と協力《きょうりょく》しなければできなかったことを、ひとりでできるようになりました。**

たとえば、いまやテレビのチャンネル争《あらそ》い（家族《かぞく》でテレビを見《み》るときに、どの番組《ばんぐみ》を見《み》るかをめぐって起《お》こる争《あらそ》い）という言葉《ことば》は死語《しご》になりつつあります。家《か》族《ぞく》一人《ひとり》ひとりが、スマホやタブレットで自分《じぶん》の好《す》きなコンテンツを見《み》ているからです。

機械《きかい》が進歩《しんぽ》し、サービス業《ぎょう》が充実《じゅうじつ》すれば、いままで人《ひと》に頼《たよ》らざるを得《え》なかったことも、機械《きかい》やサービスが解決《かいけつ》してくれます。

身近《みぢか》な困《こま》りごとは、近所《きんじょ》の人《ひと》といっしょに解決《かいけつ》するのではなく、道具《どうぐ》を使《つか》って自《みずか》ら解決《かいけつ》するか、お金《かね》を払《はら》って業者《ぎょうしゃ》に頼《たの》む時代《じだい》になったのです。それでもむずかしければ、行政《ぎょうせい》が問題《もんだい》を解決《かいけつ》します。

さらに、１９９５年発売《ねんはつばい》のＷｉｎｄｏｗｓ《ウィンドウズ》95の普及《ふきゅう》とともに、世《よ》のなかにインターネットの網《あみ》が張《は》りめぐらされると、私《わたし》たちは、家《いえ》にいながらにしてさまざまなことをできるようになりました。

社会《しゃかい》が豊《ゆた》かになることで、私《わたし》たち人間《にんげん》どうしを強制的《きょうせいてき》に結《むす》びつける機会《きかい》は、どんどん減《へ》ってゆきます。いまや、お金《かね》とインターネット環境《かんきょう》さえあれば、人《ひと》とほとんど会《あ》わない生活《せいかつ》も可能《かのう》です。

「友《とも》だちをつくる」ことが求《もと》められる社会《しゃかい》

集団《しゅうだん》が解体《かいたい》するなかで、思想的《しそうてき》な条件《じょうけん》がさらに後押《あとお》しをします。

第《だい》2章《しょう》で触《ふ》れたように、私《わたし》たちの社会《しゃかい》は「一人《ひとり》ひとりの気《き》もちや考《かんが》えを大切《たいせつ》にする」ことを、とりわけ重視《じゅうし》しています。

この価値観《かちかん》にしたがえば、私《わたし》たちは、なるべく人《ひと》になにかを押《お》しつけることを避《さ》けなければなりません。

というのも、「押《お》しつけ」という行為《こうい》じたいが、「一人《ひとり》ひとりの気《き》もちや考《かんが》えを大切《たいせつ》にしていない」と判断《はんだん》されうるからです。

友《とも》だちグループで話《はな》しているとき、自分《じぶん》の意見《いけん》を押《お》しつけないよう注意《ちゅうい》を払《はら》っている人《ひと》もいるでしょう。

一人《ひとり》ひとりの気《き》もちや考《かんが》えを大切《たいせつ》にしようとするゆえに、私《わたし》たちは、ほかの人《ひと》の主義《しゅぎ》・主張《しゅちょう》にあまり踏《ふ》みこまないよう気《き》を遣《つか》います。

この点《てん》は、友《とも》だちづき合《あ》い以外《いがい》の人間関係《にんげんかんけい》でもそのかぎりではありません。**現代社会《げんだいしゃかい》では人《ひと》にだれかとのつき合《あ》いを強制《きょうせい》することは、むずかしくなっています。**結婚《けっこん》するかしないか、地域活動《ちいきかつどう》や親睦会《しんぼくかい》や懇親会《こんしんかい》に参加《さんか》するかしないかといった判断《はんだん》は、人《ひと》それぞれ自由《じゆう》です。

人《ひと》とのつき合《あ》いの自由度《じゆうど》が増《ま》したことで、私《わたし》たちはイヤなつき合《あ》いを避《さ》け、ひとりになりやすくなりました。

イヤだと感《かん》じるつき合《あ》いは最低限《さいていげん》にとどめればよく、ひとりで生《い》きることもそれほどむずかしくはありません。

では、こういった社会《しゃかい》で、継続的《けいぞくてき》につながりの輪《わ》にいつづけるためには、どうすればよいでしょうか。

もはや、あなたを自動的《じどうてき》に取《と》り込《こ》んでくれる集団《しゅうだん》はありません。

ふつうに生活《せいかつ》していれば、どこかの場《ば》に永続的《えいぞくてき》に所属《しょぞく》することになり、つながりができていた時代《じだい》とは異《こと》なります。

私《わたし》たちの生活《せいかつ》は、あるていど積極的《せっきょくてき》に動《うご》かなければ、つながりの輪《わ》にとど

まれない方向《ほうこう》に転《てん》じつつあるのです。

このような社会《しゃかい》で、つながりをつくるために重要《じゅうよう》なのは、積極的《せっきょくてき》に動《うご》くことと、つながりにプラスの要素《ようそ》をできるだけ加《くわ》えることです。

「ひとりになる」ことも選択肢《せんたくし》のひとつとなった社会《しゃかい》で、人《ひと》をつながりの輪《わ》につなぎ止《と》めるには、だれかとつながることの魅力《みりょく》が、ひとりでなにかをすることの魅力《みりょく》を上回《うわまわ》らなければなりません。

さもなければ、人《ひと》はつながりから撤退《てったい》してしまいます。

「相手《あいて》からつながりたいと思《おも》ってもらえるよう魅力《みりょく》を高《たか》める」ことは、あるつながりが相手《あいて》にとって少《すこ》しでもプラスになるよう導《みちび》いてゆくことでもあります。

そのさい、私《わたし》たちは、プラスの要素《ようそ》にいろどられた関係《かんけい》がどのようなものか、すでに知《し》っています。

そう、〝友《とも》だち〟になることです。

ひとりになりやすい社会《しゃかい》であるていど継続的《けいぞくてき》な関係《かんけい》を築《きず》くためには、だれかと友《とも》だちになること、あるいは、恋人《こいびと》（夫婦《ふうふ》）になることが求《もと》められます。

つまり、私《わたし》たちは、**人《ひと》とつながるためには、だれかと友《とも》だちや恋人《こいびと》になることを強《し》いられる社会《しゃかい》に生《い》きている**、ともいえるでしょう。

「○○友《とも》」が世《よ》のなかに増《ふ》えた理由《りゆう》

このような動《うご》きとともに、私《わたし》たちの社会《しゃかい》には、友《とも》だちにまつわる言説《げんせつ》があふれてきました。

たとえば、親子関係《おやこかんけい》に友《とも》だちのようなつき合《あ》い方《かた》が侵入《しんにゅう》してきたのは、日本社会《にっぽんしゃかい》で集団的《しゅうだんてき》な体質《たいしつ》がゆらいだ１９９０年代《ねんだい》の後半《こうはん》です。家族社会学者《かぞくしゃかいがくしゃ》の山田昌弘《やまだまさひろ》さんは、１９９７年当時《ねんとうじ》、友《とも》だち親子《おやこ》の流行《りゅうこう》を、つぎのように述《の》べています。

「親子《おやこ》が実質的《じっしつてき》にコミュニケーションするためには、お互《たが》い『友人《ゆうじん》』になるしかなくなってきた」

この言葉《ことば》をそのまま受《う》けとると、もはや、**親《おや》と子《こ》どもでも、両者《りょうしゃ》が対話《たいわ》をするには、友《とも》だちのような関係性《かんけいせい》を結《むす》ばなくてはならない**と考《かんが》えられます。

権威《けんい》のある親《おや》の姿《すがた》などは、遠《とお》い昔《むかし》の話《はなし》です。

ママ友《とも》などをはじめとする、「**〇〇友《とも》**」という言葉《ことば》が世《よ》にあふれだしたのも、1990年代《ねんだい》の終《お》わりから2000年代《ねんだい》にかけてでした。

いまや大学生《だいがくせい》の間《あいだ》では、あいさつするだけの関係《かんけい》でも「ヨッ友《とも》」として、友《とも》だちの括《くく》りに入《い》れられています。

2022年《ねん》1月《がつ》20日《はつか》には、関西《かんさい》テレビの『報道《ほうどう》ランナー』という番組《ばんぐみ》において、「ヨッ友《とも》」の特集《とくしゅう》が組《く》まれました。放送《ほうそう》では、あいさつするだけのつながりを友《とも》だちとして扱《あつか》うことに、違和感《いわかん》を覚《おぼ》える人《ひと》もいましたが、こうした知《し》り合《あ》いていどでも友《とも》とする背景《はいけい》には、私《わたし》たちに、「**友《とも》だちをつくらなければつながりの輪《わ》からあぶれてしまう**」という危機感《ききかん》があります。

つながりに対《たい》する危機感《ききかん》があるからこそ、あいさつを交《か》わすだけの間柄《あいだがら》でも、ひとまず、「友《とも》だち」として囲《かこ》っておいて、リスクを分散《ぶんさん》させるのです。

私《わたし》たちは無理《むり》ゲーへの参加《さんか》を強《し》いられている

しかし、これまでふり返《かえ》ってきた友《とも》だちの特徴《とくちょう》をふまえると、**居合《いあ》わせた人《ひと》すべてと友《とも》だちになる、というのはおおよそ無理《むり》というものです。**

友情論《ゆうじょうろん》の歴史《れきし》をひもとくと、友《とも》だちというのは、多《おお》くの対話《たいわ》や対立《たいりつ》を経《へ》て、奇《き》跡的《せきてき》に授《さず》かるつながりだとわかります。しかも、いったん友《とも》だちになれたとしても、その関係《かんけい》がつづく保証《ほしょう》はありません。

そのくらい繊細《せんさい》なつながりを、築《きず》きあげつねに維持《いじ》する。

これはまさに、無理《むり》ゲー（実行不可能《じっこうふかのう》な行為《こうい》）にほかなりません。**現代《げんだい》を生《い》きる人《ひと》びとは、このような無理《むり》ゲーへの参加《さんか》を強《し》いられているのです。**

このようにして築《きず》きあげられる友《とも》だち関係《かんけい》のあり方《かた》は、当然《とうぜん》ながら「かつて」の友《とも》だち関係《かんけい》とは変《か》わってきます。

そこで次《つぎ》に、「かつて」と「現代《げんだい》」の友《とも》だち関係《かんけい》のあり方《かた》がどのように変《か》わったのか、もう少《すこ》しくわしく検討《けんとう》しましょう。

現代《げんだい》になって生《う》まれた新《あたら》しい「友《とも》だち」のかたち

第《だい》 4 章《しょう》

あー
この人《ひと》
ちょっと短気《たんき》
っぽくてすぐ
怒《おこ》るんだよなぁ
マジ？
そーゆー人《ひと》
いるよね
なんか気《き》まずいし
この人《ひと》とゲーム
すんのヤダなー…
もうフレンド
切《き》っちゃえば？
どうせネットで
つながった人《ひと》だし
SNS《エスエヌエス》で募集《ぼしゅう》すりゃ
新《あたら》しいフレンドも
すぐ見《み》つかるしな

友《とも》だちのあり方《かた》の決定的《けっていてき》な変化《へんか》

友《とも》だちはあいまいではあるものの、価値《かち》があるものであり、多《おお》くの人《ひと》が欲《ほっ》しているというのは、「かつて」と変《か》わりません。

変《か》わったのは、「友《とも》だちという存在《そんざい》の位置《いち》づけ」です。集団《しゅうだん》の拘束力《こうそくりょく》が強《つよ》い時代《じだい》、そこでつちかわれる友情《ゆうじょう》やそれをもとに生《う》まれる友《とも》だちは特別《とくべつ》な存在《そんざい》でした。しかしそうした存在《そんざい》は、そうかんたんにはできません。

重要《じゅうよう》なのは、**そのころを生《い》きる人《ひと》は、かりに友《とも》だちができなかったとしても、つながりの輪《わ》からあぶれるわけではなかった**、ということです。

たしかに当時《とうじ》も、友《とも》だちがいることはすばらしいことでした。

ですが、友《とも》だちがいないからといって、即座《そくざ》にそれがつながりをなくしてしまう恐怖《きょうふ》に結《むす》びつくわけではありません。

集団《しゅうだん》の拘束力《こうそくりょく》が強《つよ》く、人間関係《にんげんかんけい》が固定的《こていてき》な時代《じだい》は、そもそも集団《しゅうだん》から出《で》るのはかんたんではなかったのです。

むしろ、強《つよ》すぎるつながりに、うっとうしさを感《かん》じるくらいでした。

しかし、集団《しゅうだん》の拘束力《こうそくりょく》が弱《よわ》まり、ひとりになりやすくなると、友《とも》だちづくりは、恋人《こいびと》（夫婦《ふうふ》）づくりとならんで、つながりの輪《わ》に入《はい》るための重要事項《じゅうようじこう》となります。

第《だい》１章《しょう》で述《の》べた、リア充《じゅう》・ぼっちの対比《たいひ》のように、私《わたし》たちは友《とも》だちがいなければ「ひとりぼっち」になってしまうという、恐怖《きょうふ》に似《に》た感覚《かんかく》を抱《いだ》いているのです。

このふたつの社会《しゃかい》では、友《とも》だちの位置《いち》づけが決定的《けっていてき》に変《か》わっています。

集団《しゅうだん》の拘束力《こうそくりょく》が強《つよ》い時代《じだい》は、つながりの輪《わ》からあぶれる危険性《きけんせい》はあまりなく、関係《かんけい》の永続性《えいぞくせい》もあるていど保証《ほしょう》されていました。

だからこそ、当時《とうじ》の人《ひと》は、その場《ば》にいる人《ひと》と関係性《かんけいせい》をじっくりと育《そだ》て、「友《とも》だち」になることが可能《かのう》でした。

一方《いっぽう》、集団《しゅうだん》の拘束力《こうそくりょく》が弱《よわ》まり、ひとりになりやすい社会《しゃかい》では、関係性《かんけいせい》をじっくり育《そだ》てる余裕《よゆう》はありません。そのため、**出会《であ》った人《ひと》とあらかじめ「友《とも》だち」としてつながり、「友《とも》だち」としてのコミュニケーションをつづけて関係性《かんけいせい》を維持《いじ》する必要《ひつよう》があります。**

ここから、前者《ぜんしゃ》の「友《とも》だち」は、つき合《あ》いを積《つ》み重《かさ》ねてゆくことで「友《とも》だち」になることが可能《かのう》な、いわば「**結果《けっか》としての友《とも》だち**」といえます。

一方《いっぽう》、後者《こうしゃ》の「友《とも》だち」は、あらかじめ「友《とも》だち」としてつながり、「友《とも》だち」っぽいコミュニケーションをつづけることで維持《いじ》されます。

このような友《とも》だち関係《かんけい》は、積《つ》み重《かさ》ねた内容《ないよう》より、「友《とも》だちらしさ」という形式《けいしき》が重視《じゅうし》される「**形《かたち》から入《はい》る友《とも》だち**」になりがちです。

哲学者《てつがくしゃ》たちが「友《とも》だち」ではなく「友情《ゆうじょう》」を論《ろん》じるワケ

この点《てん》を考慮《こうりょ》すると、古代《こだい》からの哲学者《てつがくしゃ》が、なぜ「友《とも》だち・友人《ゆうじん》」ではなく、「友情《ゆうじょう》」論《ろん》を研究《けんきゅう》してきたのかがわかります。

本書《ほんしょ》で哲学者《てつがくしゃ》の研究《けんきゅう》を紹介《しょうかい》するさい、私《わたし》は、基本的《きほんてき》には「友情《ゆうじょう》」という言葉《ことば》を使《つか》い、「友《とも》だち」という言葉《ことば》をほとんど使《つか》っていません。他方《たほう》、そのほかの文脈《ぶんみゃく》では、おおむね「友《とも》だち」という言葉《ことば》を使《つか》っています。

哲学《てつがく》の議論《ぎろん》において「友情《ゆうじょう》」がおもに使《つか》われる理由《りゆう》は、その議論《ぎろん》の中心《ちゅうしん》が「関《かん》係《けい》の内容《ないよう》」にあるからです。

哲学《てつがく》の友情論《ゆうじょうろん》において、友情《ゆうじょう》は「理想《りそう》の関係《かんけい》のあり方《かた》（内容《ないよう》）を体現《たいげん》した

もの」と考《かんが》えられます。だれかと結《むす》ばれる関係《かんけい》の理想《りそう》の状態《じょうたい》のひとつが、友情《ゆうじょう》に満《み》ちた関係《かんけい》ということです。

だからこそ、哲学者《てつがくしゃ》は「真《しん》の友情《ゆうじょう》」のあり方《かた》をめぐって、さまざまな議論《ぎろん》を重《かさ》ねてきました。

関係《かんけい》の内容《ないよう》を議論《ぎろん》の射程《しゃてい》にすえるということは、現在成立《げんざいせいりつ》している関係《かんけい》にゆらぎを認《みと》めるということでもあります。

つまり、ある人《ひと》との関係《かんけい》から友情《ゆうじょう》が生《う》まれることも消《き》え失《う》せることもありうるのです。

だからこそ哲学者《てつがくしゃ》は、だれかとの間《あいだ》にある出来事《できごと》が起《お》これば、そのつながりから友情《ゆうじょう》は消《き》え失《う》せる、といった議論《ぎろん》をしばしば展開《てんかい》します。

他方《たほう》で、**関係《かんけい》のゆらぎを考慮《こうりょ》すれば、「真《しん》の友情《ゆうじょう》」を理想《りそう》の関係《かんけい》にすえて、たがいに友情《ゆうじょう》を育《はぐく》むという発想《はっそう》もできます。**

哲学書《てつがくしょ》をつうじて「真《しん》の友情《ゆうじょう》」のあり方《かた》を知《し》り、それをもとに、特定《とくてい》の人《ひと》との関係《かんけい》を積《つ》み重《かさ》ねる。

そういったことも可能《かのう》なのです。

友情《ゆうじょう》は積《つ》み重《かさ》ねたり、いっしょに育《そだ》てたりできるもの

この点《てん》は、「友《とも》だち（友人《ゆうじん》）」という言葉《ことば》とはかなりちがいます。**友《とも》だちという言葉《ことば》は、ある人《ひと》との関係《かんけい》の形式《けいしき》を直接的《ちょくせつてき》に表《あらわ》します。**「私《わたし》の友《とも》だちのA《エー》さん」といった場合《ばあい》、私《わたし》はA《エー》さんと友《とも》だちという関係《かんけい》にあることを表《あらわ》しています。

一方《いっぽう》、友情《ゆうじょう》は関係《かんけい》の内容《ないよう》を指《さ》すのみで、特定《とくてい》の人《ひと》との関係《かんけい》の形式《けいしき》を表《あらわ》すわけではありません。「A《エー》さんと私《わたし》の友情《ゆうじょう》」という表現《ひょうげん》はあっても、「私《わたし》の友情《ゆうじょう》のA《エー》さん」という表現《ひょうげん》はないのです。

この特性《とくせい》は、関係性《かんけいせい》の変化《へんか》を表《あらわ》すという意味《いみ》では、かなり異《こと》なります。

友《とも》だちは、「友《とも》だちである」「友《とも》だちではない」といったかたちで、ある人《ひと》と自分《じぶん》との境界《きょうかい》をわりとはっきりさせます。「あのときA《エー》さんと友《とも》だちだった」ということは、「いまはA《エー》さんとは友《とも》だちではない」ことを表《あらわ》しています。

これに対《たい》して友情《ゆうじょう》は、「A《エー》さんと友情《ゆうじょう》を育《はぐ》む」といったかたちで、特定《とくてい》の人《ひと》との関係《かんけい》の変化《へんか》を表《あらわ》すことができます。

だからこそ、友情《ゆうじょう》を積《つ》み重《かさ》ねたり、いったん壊《こわ》れた友情《ゆうじょう》を回復《かいふく》させたりすることも可能《かのう》なのです。

以上《いじょう》をふまえると、古代《こだい》ギリシアからつづく哲学者《てつがくしゃ》の友情《ゆうじょう》の議論《ぎろん》には、「特定《とくてい》の相手《あいて》とどのように友情《ゆうじょう》を育《はぐ》むか、という育成的《いくせいてき》な視点《してん》が潜《ひそ》んでいる」といえるでしょう。

このような関係性《かんけいせい》のあり方《かた》は、まさに、「結果《けっか》としての友《とも》だち」にあたります。これを本書《ほんしょ》の文脈《ぶんみゃく》で言《い》い換《か》えると、哲学者《てつがくしゃ》の友情論《ゆうじょうろん》で想定《そうてい》される友《とも》だちは、長《なが》い時間《じかん》を積《つ》み重《かさ》ねて奇跡的《きせきてき》に手《て》に入《はい》るような、希少《きしょう》なつながりといえます。

争《あらそ》い・対立《たいりつ》・ぼっちに対《たい》するおそれ

友《とも》だち関係《かんけい》が、「結果《けっか》として」のものから「形《かたち》から入《はい》る」ものに転《てん》じてしまうと、友《とも》だち関係《かんけい》の負《ふ》の側面《そくめん》が顕在化《けんざいか》してゆきます。

そもそも、**あいまいで不安定《ふあんてい》さをもつ友《とも》だち関係《かんけい》をしっかりしたものにするには、あるていどの手間《てま》と時間《じかん》が必要《ひつよう》です。**ケンカや葛藤《かっとう》、いさかいをつうじて強《つよ》まってゆく関係《かんけい》などは、その典型《てんけい》でしょう。

しかし、人間関係《にんげんかんけい》を解消《かいしょう》することが手軽《てがる》にできるようになり、関係《かんけい》そのものが不安定《ふあんてい》になると、ケンカや葛藤《かっとう》、いさかいをつうじて関係《かんけい》を築《きず》くのはむずかしくなります。

というのも、**ケンカ、葛藤《かっとう》、いさかいなどは、関係《かんけい》を強化《きょうか》するものではなく、関係《かんけい》の存続《そんぞく》をおびやかす不協和音《ふきょうわおん》ととらえられてしまう**からです。

大学生《だいがくせい》と話《はな》していると、「友《とも》だちとは絶対《ぜったい》ケンカをしたくない」という言葉《ことば》をよく耳《みみ》にします。

理由《りゆう》をたずねると、「**関係《かんけい》を修復《しゅうふく》する機会《きかい》がないから**」だそうです。

それくらい、いまの学生《がくせい》は、はかない友《とも》だち関係《かんけい》のなかで生《い》きているのです。

集団《しゅうだん》の拘束力《こうそくりょく》が弱《よわ》まり、ひとりになりやすくなると、同《おな》じクラスにいる、いっしょに仕事《しごと》をしている、といったかたちで場《ば》や作業《さぎょう》を共有《きょうゆう》していたとしても、それがつながりの保証《ほしょう》にはなりません。

学校《がっこう》で同《おな》じクラスになったとしても、クラスが変《か》われば疎遠《そえん》になることもあるし、グループの友《とも》だち関係《かんけい》は、それほど強《つよ》くなかったりもします。

人間関係《にんげんかんけい》を安定《あんてい》したものにするためには、関《かか》わった人《ひと》と友《とも》だち、あるいは恋人《こいびと》になり、その状況《じょうきょう》を継続《けいぞく》するよう求《もと》められるのです。

とはいえ、「友《とも》だち」という状態《じょうたい》の継続《けいぞく》は、そうかんたんではありません。

というのも、友《とも》だちや恋人《こいびと》といった関係《かんけい》の成立《せいりつ》や存続《そんぞく》の可否《かひ》は、おたがいが「友《とも》だちである」「恋人《こいびと》である」と思《おも》う気《き》もちに委《ゆだ》ねられているからです。

そのため、どちらかが「友《とも》だちではない」「恋人《こいびと》ではない」と思《おも》えば、その瞬《しゅん》間《かん》に関係《かんけい》は崩《くず》れてしまいます。

だからこそ、**友《とも》だち・恋人《こいびと》といった枠組《わくぐ》みで結《むす》ばれた人《ひと》たちは、たがいにその関係《かんけい》を維持《いじ》できるよう協力《きょうりょく》しなければなりません。**

その点《てん》をふまえ、かりに私《わたし》たちが、身《み》の回《まわ》りの人《ひと》たちと友《とも》だちにならなければつながりがなくなってしまう、と考《かんが》えていたとしましょう。

集団《しゅうだん》の拘束力《こうそくりょく》が弱《よわ》まり、ひとりになりやすくなった社会《しゃかい》では、おちいりがちな考《かんが》え方《かた》です。

そうなると、**私《わたし》たちは、孤立《こりつ》（ぼっち）を回避《かいひ》するために、関係《かんけい》をつなぎ止《と》めようと必死《ひっし》の努力《どりょく》をします。**

言《い》い換《か》えると、出会《であ》った人《ひと》と友《とも》だちになり、友《とも》だちの関係《かんけい》を維持《いじ》しようと、必《ひつ》要以上《よういじょう》に努力《どりょく》をしてしまうのです。友《とも》だち関係《かんけい》に悩《なや》む人《ひと》のなかには、こういった考《かんが》えにしばられてしまう人《ひと》が少《すく》なからずいます。

だからこそ、私《わたし》は、**「友《とも》だちになる」「友《とも》だちでいる」という考《かんが》えから少《すこ》し距離《きょり》をおく**ことをオススメしているのです。

なぜ、友《とも》だち関係《かんけい》がむずかしくなってしまうのか

では、なぜ出会《であ》った人《ひと》と友《とも》だちになり、その関係《かんけい》を維持《いじ》しようと努力《どりょく》しすぎてしまうとよろしくないのか。

その点《てん》について、もう少《すこ》しくわしくお話《はな》ししましょう。

ただでさえあいまいな友《とも》だちという関係《かんけい》を維持《いじ》しようとすると、私《わたし》たちは、その関係《かんけい》を「よいもの」にしようと気《き》を張《は》ってしまいます。

というのも、友《とも》だちはほかの人《ひと》とはちがった「よい」関係《かんけい》だからこそ、「友《とも》だち」といえるからです。

友《とも》だち関係《かんけい》をよいものにしようと、私《わたし》たちはさまざまな面《めん》で切実《せつじつ》な努力《どりょく》をつづけます。身近《みぢか》な例《れい》でいえば、相手《あいて》からよく思《おも》ってもらいたいからこそ、流行《りゅうこう》の歌《うた》を覚《おぼ》えたり、おしゃれな格好《かっこう》をしたり、といったことがあげられるでしょう。

争《あらそ》いや対立《たいりつ》をなるべく回避《かいひ》するというのも、「よい」関係《かんけい》を維持《いじ》するための典《てん》型的《けいてき》な行動《こうどう》になります。

「結果《けっか》としての友《とも》だち」関係《かんけい》において、対立《たいりつ》や意見《いけん》の衝突《しょうとつ》は、友情《ゆうじょう》を育《はぐく》む栄養素《えいようそ》のようにとらえられていました。

友情《ゆうじょう》を扱《あつか》ったマンガや小説《しょうせつ》でも、対立《たいりつ》や衝突《しょうとつ》を経《へ》たからこそ、強《つよ》い友情《ゆうじょう》が育《はぐく》まれる、といった描写《びょうしゃ》をたびたび見《み》かけます。

しかし、おたがい友《とも》だちとして出会《であ》い、友《とも》だちっぽいコミュニケーションを重《かさ》ねることで成《な》り立《た》つ**「形《かたち》から入《はい》る友《とも》だち」関係《かんけい》では、対立《たいりつ》や意見《いけん》の衝突《しょうとつ》は、「よい」関係《かんけい》をおびやかす不安要素《ふあんようそ》でしかありません。**

だからこそ私《わたし》たちは、相手《あいて》を傷《きず》つける可能性《かのうせい》のある物言《ものい》いを、なるべく避《さ》けるよう気《き》を遣《つか》います。

ここで厄介《やっかい》なのは、**いま話《はな》している相手《あいて》が、なにを「よい」と感《かん》じるのか、あるいは「悪《わる》い」と感《かん》じるのかは、正確《せいかく》にはわからない**ということです。

そもそも、そんなものは、場面《ばめん》、状況《じょうきょう》、タイミングに応《おう》じて変《か》わるので、事前《じぜん》に察知《さっち》できるものではありません。

同《おな》じことをいったけど、相手《あいて》によってちがう反応《はんのう》をされた。同《おな》じ相手《あいて》に同《おな》じことをいったけど、日《ひ》によってちがう反応《はんのう》をされた。

人間関係《にんげんかんけい》においては、そのようなことがひんぱんに起《お》こります。

こうした事実《じじつ》に目《め》を向《む》けず、悪《わる》いものを回避《かいひ》し、よい空気《くうき》を維持《いじ》して友《とも》だち関係《かんけい》を保《たも》とうとすると、友《とも》だちと交流《こうりゅう》することの負担《ふたん》は、きわめて大《おお》きな

ものになります。

大学生《だいがくせい》の授業風景《じゅぎょうふうけい》に見《み》られる「他者《たしゃ》への配慮《はいりょ》」

そうした傾向《けいこう》が現《あらわ》れがちな、いまどきの大学《だいがく》の授業風景《じゅぎょうふうけい》を、少《すこ》しのぞいてみましょう。私《わたし》は大学《だいがく》の教員《きょういん》を、もう16年《ねん》つづけています。

その間《あいだ》、ここまで見《み》てきたような、争《あらそ》いや対立《たいりつ》を回避《かいひ》し場《ば》の空気《くうき》を読《よ》もうとする姿勢《しせい》は、より強《つよ》まってきました。

具体例《ぐたいれい》として、学生《がくせい》の発表《はっぴょう》の一場面《いちばめん》を取《と》り上《あ》げます。

大学《だいがく》の授業《じゅぎょう》では、15人《にん》から30人《にん》ていどの少人数《しょうにんずう》の教室《きょうしつ》で、学生《がくせい》が発表《はっぴょう》することがあります。

そのとき、いつの間《ま》にか発表《はっぴょう》の前後《ぜんご》で、参加者《さんかしゃ》が発表者《はっぴょうしゃ》に拍手《はくしゅ》をするようになりました。発表《はっぴょう》の内容《ないよう》じたいは大《たい》して変《か》わっていないにもかかわらずです。

拍手《はくしゅ》で始《はじ》まり、拍手《はくしゅ》で終《お》わる。このふわっとした空気感《くうきかん》が大学《だいがく》のなかでは求《もと》められているのだと感心《かんしん》したものです。

発表《はっぴょう》に対《たい》して意見《いけん》をいうときにも、配慮《はいりょ》が行《い》き届《とど》いています。

たいていの人《ひと》は意見《いけん》を述《の》べる前《まえ》に、

「これは参考《さんこう》として聞《き》いてくれればいいのですが……」

「あくまで個人的《こじんてき》な感覚《かんかく》ですが……」

という言葉《ことば》を挟《はさ》みます。

この言葉《ことば》は、意見《いけん》を述《の》べる人《ひと》が、あくまで、発表者《はっぴょうしゃ》を否定《ひてい》しているわけではない、と伝《つた》えるために用《もち》いられます。

その背後《はいご》には、**相手《あいて》から否定《ひてい》と受《う》け取《と》られてしまうと、後《のち》の関係《かんけい》に支障《ししょう》を来《きた》すと考《かんが》える、学生《がくせい》の切実《せつじつ》な思《おも》い**があります。

いまどきの学生《がくせい》は、高度《こうど》なコミュニケーション技術《ぎじゅつ》を駆使《くし》して、場《ば》の空気《くうき》を乱《みだ》さないよう、人《ひと》を否定《ひてい》しないよう気《き》を遣《つか》いつつ対話《たいわ》しているのです。

それをうまくできる人《ひと》は「コミュ力《りょく》」の高《たか》い人《ひと》、できない人《ひと》はいわゆる「コミュ障《しょう》」というレッテルを貼《は》られます。

友《とも》だちグループのなかだからこそ率直《そっちょく》に意見《いけん》を述《の》べられるのではなく、友《とも》だちだからこそ気《き》を遣《つか》い合《あ》い、配慮《はいりょ》をする。

このようなつながりに重苦《おもくる》しさを感《かん》じる人《ひと》は少《すく》なからずいるでしょう。

「みんな」でいる安心感《あんしんかん》とリセット衝動《しょうどう》

「友《とも》だち」関係《かんけい》を維持《いじ》しようとしすぎると、ふたつの正反対《せいはんたい》の行動《こうどう》が発生《はっせい》しやすくなります。**「みんな」への過剰《かじょう》なすり寄《よ》りと、関係《かんけい》のリセットです。**

第《だい》2章《しょう》で、「人《ひと》それぞれ」についてお話《はな》ししました。

私《わたし》たちは、「人《ひと》それぞれ」と相手《あいて》との間《あいだ》に距離《きょり》をおくと同時《どうじ》に、**みんなのなかに入《はい》っている安心感《あんしんかん》を求《もと》め、「みんな」にすり寄《よ》っていく傾向《けいこう》があります。**

ひとりでいるとさみしいと感《かん》じる人《ひと》は多《おお》いでしょう。

ひとりになりやすい社会《しゃかい》では、その状況《じょうきょう》をさみしいと感《かん》じるならば、自《みず》らつながりをつくらなければなりません。

そのさい「みんな」のなかに入《はい》っていれば、一定《いってい》の安心感《あんしんかん》を得《え》られます。

しかし、**「みんな」のなかに入《はい》ったからといって、居心地《いごこち》がよくなるばかりではありません。**

友《とも》だちの輪《わ》に入《はい》ってはいるのだけれど、本音《ほんね》をいえる場《ば》がどこにもない、という学生《がくせい》をたまに見《み》かけます。

大学《だいがく》でサークル、ゼミに入《はい》り、アルバイトもして、いっしょに話《はな》す友《とも》だちがいるにもかかわらず、本音《ほんね》をいえる場《ば》がない。

そんな学生《がくせい》も少《すく》なくありません。

クラスのグループや部活《ぶかつ》に入《はい》ってはいるけれど、素《す》の自分《じぶん》を出《だ》せない中学生《ちゅうがくせい》、高校生《こうこうせい》も同《おな》じでしょう。

そのような人《ひと》はたいてい、**「みんな」の輪《わ》に入《はい》ること、場《ば》の空気《くうき》を読《よ》むことに必死《ひっし》で、本音《ほんね》を出《だ》すタイミングを失《うしな》ってしまっています。**

本音《ほんね》を出《だ》したら嫌《きら》われてしまうかもしれない。
言葉《ことば》のやりとりをまちがったら友《とも》だちの輪《わ》にとどまれないかもしれない。
そのような不安《ふあん》を抱《いだ》いて友《とも》だち関係《かんけい》を築《きず》いている人《ひと》は、けっして少《すく》なくありません。
「みんな」の輪《わ》に入《はい》ること、場《ば》の空気《くうき》を読《よ》むことはくたびれることでもあります。

最近《さいきん》は、人間関係《にんげんかんけい》の疲《つか》れを象徴《しょうちょう》するような現象《げんしょう》が報告《ほうこく》されるようになりました。

それが、第《だい》1章《しょう》でも述《の》べた「人間関係《にんげんかんけい》リセット症候群《しょうこうぐん》」です。症候群《しょうこうぐん》という言葉《ことば》を使《つか》っていますが、正式《せいしき》な病名《びょうめい》ではありません。2010年《ねん》代半《だいなか》ばごろから、指摘《してき》されるようになりました。

私《わたし》たちが人間関係《にんげんかんけい》を積極的《せっきょくてき》に切断《せつだん》できるようになった裏側《うらがわ》には、SNS《エスエヌエス》の普及《ふきゅう》により、人間関係《にんげんかんけい》をより管理《かんり》しやすくなったという事情《じじょう》があります。

その点《てん》はあとで触《ふ》れるとして、ここでは、**人間関係《にんげんかんけい》のリセットが「みんな」の輪《わ》に入《はい》ろうと必死《ひっし》になることと同《おな》じ原因《げんいん》で行《おこな》われている**ことを確認《かくにん》しましょう。

人間関係《にんげんかんけい》のリセットでよく指摘《してき》されるのは、関係《かんけい》の維持《いじ》に対《たい》する疲労《ひろう》、または関係《かんけい》が継続《けいぞく》されないことへのおそれがリセットを引《ひ》き起《お》こす、ということです。場《ば》の空気《くうき》を読《よ》み、つながりを維持《いじ》することへの疲《つか》れ、いずれは「みんな」から受《う》け入《い》れられなくなってしまう不安《ふあん》から人間関係《にんげんかんけい》をリセットするのです。

「気遣《きづか》い」と「リセット」の負《ふ》のループ

「みんな」への過剰《かじょう》なすり寄《よ》りと、関係《かんけい》のリセットというふたつの現象《げんしょう》は、いまどきの友《とも》だち関係《かんけい》のあり方《かた》を象徴《しょうちょう》しています。

ひとりになりやすい社会《しゃかい》では、友《とも》だちをつくらなければつながりの輪《わ》からあぶれます。

しかし、友《とも》だちはそうかんたんにできるものではなく、また、ふとした拍子《ひょうし》に壊《こわ》れるかもしれないはかないものです。

そのため、だれかと友《とも》だちになり、友《とも》だち関係《かんけい》を維持《いじ》するには、その関係《かんけい》をできるだけ「よいもの」にしておかねばなりません。

関係《かんけい》を「よいもの」にするため、私《わたし》たちは対立《たいりつ》をまねきそうな踏《ふ》みこんだ発言《はつげん》を避《さ》け、場《ば》の空気《くうき》を乱《みだ》さないよう気《き》を遣《つか》います。

しかし、**場《ば》の空気《くうき》を読《よ》み、「友《とも》だち」を装《よそお》いつづけても、それが「真《しん》の友《とも》だち」**

関係《かんけい》でないことは、だれよりも本人《ほんにん》がいちばんよく知《し》っています。

関係《かんけい》を維持《いじ》する努力《どりょく》に疲《つか》れ果《は》てた一部《いちぶ》の人《ひと》たちは、友《とも》だち関係《かんけい》をリセットすることで、一時《いちじ》の安息《あんそく》を確保《かくほ》しようとします。

この流《なが》れで怖《こわ》いのは、気遣《きづか》いとリセットのループを引《ひ》き起《お》こす可能性《かのうせい》があることです。

かりに関係《かんけい》をリセットしても、時間《じかん》が経《た》てば、さみしさを感《かん》じる人《ひと》もいます。そこでまた友《とも》だちを求《もと》めて、なんらかのグループに入《はい》ったとしても、やっぱり気《き》を遣《つか》ってしまう。

気《き》を遣《つか》いつづけるとくたびれるので、再《ふたた》び関係《かんけい》をリセットする。

かくして、気遣《きづか》いとリセットのループが完成《かんせい》します。

友《とも》だちという関係性《かんけいせい》の維持《いじ》に目《め》を向《む》けさせがちな「形《かたち》から入《はい》る友《とも》だち」関《かん》係《けい》は、友《とも》だちへの過剰《かじょう》な配慮《はいりょ》と拒絶《きょぜつ》を引《ひ》き起《お》こしやすくするのです。

言《い》い換《か》えると、もしあなたが「みんな」に過剰《かじょう》にすり寄《よ》ったり、関係《かんけい》をリセットしてしまったりするとしたら、それはあなたのコミュニケーションに問題《もんだい》があるからではありません。**そもそも私《わたし》たちの社会《しゃかい》が、そういった「友《とも》だちのあり方《かた》」を求《もと》めているか**らなのです。

友《とも》だちをつくるより「場《ば》」にとどまろう

以上《いじょう》をふまえると、**私《わたし》たちの社会《しゃかい》では、特定《とくてい》の「場《ば》」の人《ひと》を集《あつ》める力《ちから》が弱《よわ》まりすぎてしまった**気《き》がします。

「一人《ひとり》ひとりの意見《いけん》を大切《たいせつ》にする」という思想《しそう》のもと、ある場《ば》に無理《むり》に人《ひと》を引《ひ》き留《と》めることは、現代社会《げんだいしゃかい》ではむずかしくなってきました。

私《わたし》の大学《だいがく》で工学《こうがく》を教《おし》える先生《せんせい》も、「いまどきの学生《がくせい》や大学院生《だいがくいんせい》は、研究室《けんきゅうしつ》に来《こ》なくて困《こま》る」と嘆《なげ》いていました。

研究室《けんきゅうしつ》は「ひとまず顔《かお》を出《だ》して身《み》をおく」場《ば》から、「用事《ようじ》があったときだけ立《た》ち寄《よ》る」場《ば》に転《てん》じてしまったとのことです。

場《ば》の求心力《きゅうしんりょく》が弱《よわ》まったことで、私《わたし》たちは、たしかに自由《じゆう》になりました。

オンラインの普及《ふきゅう》により、いまではその場《ば》に行《い》くかどうかすら選《えら》ぶことができます。

場《ば》から解放《かいほう》され自由《じゆう》を得《え》た一方《いっぽう》で、私《わたし》たちはだれかとつながるために、「友《とも》だち」や「恋人《こいびと》」といった特別《とくべつ》な関係《かんけい》を築《きず》く必要《ひつよう》が出《で》てきました。

とはいえ、そういったつながりは、そうかんたんにはできません。

それどころか、あらかじめ「友《とも》だち」になることを想定《そうてい》したつながりは、ことのほか息苦《いきぐる》しいものでした。

だからこそ私《わたし》たちは、友《とも》だちという関係《かんけい》のあり方《かた》を、意識《いしき》してとらえ直《なお》す必要《ひつよう》があるのです。

友《とも》だちにそこまでとらわれる必要《ひつよう》はありません。

そもそも、**私《わたし》たちのつながりは、相手《あいて》への気《き》もちのみで維持《いじ》できるほど強《つよ》くはありません。**

定期的《ていきてき》に会《あ》う機会《きかい》や口実《こうじつ》があるからこそ、関係《かんけい》はつづくのです。

気《き》もちのみで維持《いじ》される関係《かんけい》も否定《ひてい》はしませんが、そう多《おお》くはないでしょう。友《とも》だちづくりは、定期的《ていきてき》に会《あ》う機会《きかい》が保証《ほしょう》されたなかで、時間《じかん》をかけてゆっくりと行《おこな》えばよいのです。

そのさい、第《だい》１章《しょう》で述《の》べたように、その場《ば》に行《い》くような口実《こうじつ》があったほうがよいでしょう。

現代《げんだい》を生《い》きる私《わたし》たちは、特定《とくてい》の場《ば》よりもむしろ、特定《とくてい》の人《ひと》と強《つよ》い関係《かんけい》を結《むす》ぶようになりました。

特定《とくてい》の人《ひと》との強《つよ》いつながりを表《あらわ》す「友《とも》だち」はその典型《てんけい》です。

そのようなつながりにしばられず、**場《ば》にひもづけられた関係《かんけい》を結《むす》び、継続《けいぞく》させることは意外《いがい》と大事《だいじ》かもしれません。**

こんにちは 今日《きょう》 暑《あつ》いね…
あ こんにちは
図書館《としょかん》 涼《すず》しいから 入《い》り浸《びた》っちゃう
うん わかる
土曜日《どようび》 近《ちか》くの図書館《としょかん》に 行《い》くと たまに会《あ》う子《こ》
たぶん 同《おな》じ学校《がっこう》の子《こ》
会《あ》う約束《やくそく》も してないし 連絡先《れんらくさき》も 知《し》らない
会《あ》えたら うれしいな ってだけの 関係《かんけい》
だけど
すごく安心《あんしん》する 「友《とも》だち」って 感《かん》じが 私《わたし》は してる

SNS《エスエヌエス》が変《か》えてしまった人間関係《にんげんかんけい》のあり方《かた》

第《だい》5章《しょう》

ちょっとー
携帯《けいたい》やって
ないでお風呂《ふろ》
入《はい》んなさい～
だって会話《かいわ》が
止《と》まんないん
だもん
うわっ
いっぱい
メッセージ
来《き》てる
「風呂入《ふろはい》ってた」
…っと…
ピロン♪
ピロン♪
…もう
寝《ね》てるって…
返信明日《へんしんあした》で
いいや…
そういえば
スマホがなかった
ときって
どうやって
友《とも》だちと連絡《れんらく》
取《と》り合《あ》ってたん
だろう?

私《わたし》たちのつながりのもうひとつの変化《へんか》

第《だい》4章《しょう》で、私《わたし》たちのつながりの変化《へんか》として、自由度《じゆうど》が増《ま》したこと（ひとりになりやすくなったこと）、だからこそ、だれかと友《とも》だちや恋人《こいびと》にならなければ、つながりを確保《かくほ》しにくくなったことを見《み》てきました。

じつは、１９９０年代《ねんだい》の後半《こうはん》にはもうひとつ、私《わたし》たちのつながりに大《おお》きな変化《へんか》が起《お》きていました。

なんだと思《おも》いますか。答《こた》えをいいましょう。

１９９０年代《ねんだい》の後半以降《こうはんいこう》、私《わたし》たちは、「目《め》の前《まえ》にいない人《ひと》」とつながることが、きわめてかんたんになりました。

その立《た》て役者《やくしゃ》は、いうまでもなく携帯電話《けいたいでんわ》、スマートフォンといった情報通信《じょうほうつうしん》端末《たんまつ》であり、通信《つうしん》の網《あみ》の目《め》を陰《かげ》で支《ささ》えたのが、インターネットでした。

１９８７年《ねん》にひっそりと登場《とうじょう》した携帯電話《けいたいでんわ》は、通話範囲《つうわはんい》の狭《せま》さ、通話料金《つうわりょうきん》の高《たか》さ、端末《たんまつ》じたいの重《おも》さなどが相《あい》まって、なかなか普及《ふきゅう》しませんでした。

ところが、１９９０年代《ねんだい》の後半《こうはん》に入《はい》ると爆発的《ばくはつてき》に普及《ふきゅう》し、98年《ねん》には国内普及率《こくないふきゅうりつ》が50％を超《こ》えます。

登場当初《とうじょうとうしょ》にあった問題《もんだい》も解消《かいしょう》され、多《おお》くの人《ひと》が端末《たんまつ》をもつようになると、携帯《けいたい》電話《でんわ》はコミュニケーション手段《しゅだん》の中心《ちゅうしん》に躍《おど》り出《で》ます。

携帯電話《けいたいでんわ》をもたなければ、つながりの輪《わ》からはじかれてしまうからです。

かくして人《ひと》びとは競《きそ》うように携帯電話《けいたいでんわ》をもつようになりました。

スマートフォンにいたっては、携帯電話《けいたいでんわ》よりもさらに早《はや》く普及《ふきゅう》していきます。iPhone《アイフォン》の上陸《じょうりく》を日本社会《にっぽんしゃかい》におけるスマートフォン元年《がんねん》ととらえると、2008年《ねん》からわずか5年《ねん》で、国内普及率《こくないふきゅうりつ》は50%を超《こ》えます。高校生《こうこうせい》にもなれば、スマートフォンをもっていない人《ひと》を探《さが》すほうがむずかしいでしょう。

日本《にっぽん》に住《す》むほぼすべての人《ひと》がスマートフォンをもったことで、みなさんは相手《あいて》のID《アイディー》や、端末《たんまつ》の電話番号《でんわばんごう》さえ知《し》っていれば、場所《ばしょ》を移動《いどう》しなくても、だれとでも連絡《れんらく》をとれるようになりました。

私《わたし》たちは、目《め》の前《まえ》にいない人《ひと》とのつながりが、目《め》の前《まえ》にいる人《ひと》とのつながりと同等《どうとう》、あるいはそれ以上《いじょう》の重《おも》みをもった社会《しゃかい》を、人類《じんるい》で初《はじ》めて生《い》きているのです。

当然《とうぜん》ながらこの変化《へんか》は、友《とも》だち関係《かんけい》にも影響《えいきょう》します。

その点《てん》について確認《かくにん》する前《まえ》に、まず、「それ以前《いぜん》」の生活《せいかつ》についてかんたんにのぞいてみましょう。

携帯《けいたい》のない社会《しゃかい》での人間関係《にんげんかんけい》とは

私《わたし》は、1993年《ねん》4月《がつ》から97年《ねん》3月《がつ》まで大学生活《だいがくせいかつ》を送《おく》りました。この時期《じき》はちょうど携帯《けいたい》が普及《ふきゅう》してきた時期《じき》と重《かさ》なります。

とはいえ、大学生《だいがくせい》で携帯電話《けいたいでんわ》をもっている人《ひと》は、まだまだ少数《しょうすう》でした。そんな私《わたし》の大学生活《だいがくせいかつ》を少《すこ》し振《ふ》り返《かえ》ります。

当時《とうじ》、私《わたし》はしばしば朝食《ちょうしょく》をとらずに大学《だいがく》に行《い》きました。

大学《だいがく》には電車《でんしゃ》で通《かよ》っていたので、紙《かみ》の時刻表《じこくひょう》で電車《でんしゃ》の乗《の》り継《つ》ぎを確認《かくにん》します。

それから時間《じかん》に合《あ》わせて家《いえ》を出《で》て大学《だいがく》に向《む》かいます。

電車《でんしゃ》のなかでは、マンガや雑誌《ざっし》の発売日《はつばいび》に合《あ》わせて、各誌《かくし》を読《よ》んでいました。

読《よ》み終《お》わった雑誌《ざっし》は、部室《ぶしつ》においてくるか、同《おな》じ授業《じゅぎょう》をとっている人《ひと》にあげてしまいます。

マンガや雑誌《ざっし》のない日《ひ》は、車内《しゃない》や外《そと》を見《み》るか、座《すわ》って寝《ね》ていました。

大学《だいがく》に行《い》くとまず掲示板《けいじばん》を見《み》に行《い》き、休講《きゅうこう》を確認《かくにん》します。休講《きゅうこう》がない場合《ばあい》には、そのまま授業《じゅぎょう》に出《で》ます。

教室《きょうしつ》に行《い》くと、同《おな》じクラスのメンバーがたまっている場所《ばしょ》があるので、そこに席《せき》を取《と》って、クラスのメンバーと話《はな》したり、トランプをしたりしていました。メンバーはとくに決《き》まっているわけでなく、居合《いあ》わせた人《ひと》と、なにかやる感《かん》じです。

昼休《ひるやす》みは、その前《まえ》の授業《じゅぎょう》をいっしょに受《う》けていた人《ひと》と食事《しょくじ》に行《い》くこともあれば、ほかのメンバーに用事《ようじ》があるようなら、サークルの部室《ぶしつ》に行《い》って食事《しょくじ》をとることもありました。

外《そと》に出《で》るとなかなか連絡《れんらく》がとれないのが当《あ》たり前《まえ》

その後《ご》の講義《こうぎ》でも、同《おな》じ講義《こうぎ》をとっている知《し》り合《あ》いが何人《なんにん》かいるところに座《すわ》り、ノートをとりつつ他愛《たあい》ないことをしていました。

一日《いちにち》の授業《じゅぎょう》がすべて終《お》わると、とくに用事《ようじ》がないときは、家《いえ》に帰《かえ》っても暇《ひま》なので、サークルの部室《ぶしつ》に行《い》っていました。

部室《ぶしつ》には先輩《せんぱい》や後輩《こうはい》、同期《どうき》など、だれかしらいたので、居合《いあ》わせた人《ひと》と話《はな》したり、ゲームをしたりしながらすごしていました。

途中《とちゅう》、授業《じゅぎょう》やバイトで出《で》ていく人《ひと》もいれば、用事《ようじ》が終《お》わって入《はい》ってくる人《ひと》もいたりと、メンバーはまちまちです。

授業《じゅぎょう》のあと、クラスのメンバーと食事《しょくじ》に行《い》くことも、部室《ぶしつ》にたむろして、居合《いあ》わせた人《ひと》と食事《しょくじ》に行《い》くこともありました。

基本的《きほんてき》には流動的《りゅうどうてき》で、決《き》まった人《ひと》とどこかに行《い》くというのは、きちんと約束《やくそく》をしたときくらいでした。

当時《とうじ》は一度《いちど》、外《そと》に出《で》てしまうと、だれかと連絡《れんらく》をとるのはむずかしく、それほど計画的《けいかくてき》に物事《ものごと》を進《すす》めることはできなかったのです。

外《そと》に出《で》た私《わたし》が目《め》の前《まえ》にいないだれかと連絡《れんらく》をとるには、相手《あいて》の家《いえ》や部室《ぶしつ》など、その人《ひと》がいそうな場所《ばしょ》に連絡《れんらく》をするしかありません。

そうはいっても、その場《ば》に連絡《れんらく》をとりたい相手《あいて》がいる保証《ほしょう》はなく、目《め》の前《まえ》にいない人《ひと》との交流手段《こうりゅうしゅだん》は、固定電話《こていでんわ》と公衆電話《こうしゅうでんわ》以外《いがい》、ほぼありませんでした。

連絡《れんらく》をとりづらいのは相手《あいて》も同《おな》じで、私《わたし》が外《そと》にいるかぎり、ほぼ連絡《れんらく》はつきません。

家《いえ》に帰《かえ》ってサークルのメンバーからの「大学近辺《だいがくきんぺん》の○○で飲《の》み会《かい》やってるから来《き》て」という伝言《でんごん》を親《おや》から聞《き》いて、また大学《だいがく》に行《い》くこともありました。

場《ば》の力《ちから》が強《つよ》かった人間関係《にんげんかんけい》

昔《むかし》の話《はなし》はこれくらいにしましょう。私《わたし》の大学生活《だいがくせいかつ》は、いまの大学生活《だいがくせいかつ》とどのような点《てん》が変《か》わっていたでしょうか。中学生《ちゅうがくせい》、高校生《こうこうせい》のみなさんは大学生活《だいがくせいかつ》をイメージしたり、自《みずか》らの生活《せいかつ》と比《くら》べたりしながら考《かんが》えてみてください。

先《さき》の文《ぶん》を読《よ》み返《かえ》してみると、**私《わたし》が大学生《だいがくせい》のころに知《し》り合《あ》いと会《あ》うには、どこか「おなじみの場《ば》」に行《い》かなければならなかったことがわかります。**

クラスのメンバーに会《あ》うためには、大学《だいがく》の授業《じゅぎょう》の「なんとなくみんながたまっている場《ば》」に行《い》き、サークルのメンバーに会《あ》うためには部室《ぶしつ》に行《い》きます。そうしなければ、知《し》り合《あ》いとはなかなか会《あ》えませんでした。

いくつかある「おなじみの場《ば》」に顔《かお》を出《だ》すことは、大学生活《だいがくせいかつ》でのつながりづくりの基本《きほん》だったといえるでしょう。

当時《とうじ》足《あし》を運《はこ》んだ場《ば》の特徴《とくちょう》は、もうひとつあります。

それは、メンバーが**固定的《こていてき》でないこと**です。

「おなじみの場《ば》」とはいっても、そこに来《く》る人《ひと》は毎回《まいかい》決《き》まっているわけではありません。バイト、サークル、授業《じゅぎょう》の予定《よてい》はそれぞれに異《こと》なります。

そのように、それぞれに予定《よてい》の異《こと》なる人《ひと》が、たまたま居合《いあ》わせた「おなじみの場《ば》」で顔《かお》を合《あ》わせることでつむがれてゆくのが当時《とうじ》の人間関係《にんげんかんけい》でした。

こうしたつながりのあり方《かた》は、**「場《ば》の力《ちから》に強《つよ》く規定《きてい》される人間関係《にんげんかんけい》」**といえるでしょう。

当時《とうじ》の私《わたし》たちは、個人個人《こじんこじん》で連絡《れんらく》をとる手段《しゅだん》をもっていません。固定電話《こていでんわ》はあるといっても、それを個々人《ここじん》が外《そと》にもち出《だ》すことはできないし、固定電話《こていでんわ》の連絡《れんらく》先《さき》は、家《いえ》、学校《がっこう》などの「場《ば》」にかぎられます。そのため、**私《わたし》たちは、いずれかの場《ば》とつながらなくては、友《とも》だちや知《し》り合《あ》いとはなかなか会《あ》えませんでした。**

場《ば》の力《ちから》に強《つよ》く規定《きてい》される人間関係《にんげんかんけい》は、メンバーがあるていど流動的《りゅうどうてき》になります。場《ば》に規定《きてい》される人間関係《にんげんかんけい》では、場《ば》に来《く》る人《ひと》は、その場《ば》（サークルやクラス）に所《しょ》属《ぞく》している人《ひと》のだれが来《く》るかはわからないからです。

そうなると、**その場《ば》に来《き》た人《ひと》は、居合《いあ》わせた人《ひと》とコミュニケーションをとる必要《ひつよう》があります。**そうやってつむがれてきたのが、これまでの人間関係《にんげんかんけい》だったのです。

もはや「場《ば》」は必要《ひつよう》ない

しかし、個々人《ここじん》が携帯電話《けいたいでんわ》やスマートフォンをもち、おたがいがＩＤ《アイディー》や端末《たんまつ》の電話番号《でんわばんごう》で結《むす》ばれるようになると、状況《じょうきょう》は変《か》わります。

私《わたし》たちはだれかに会《あ》うために、わざわざ場《ば》におもむく必要《ひつよう》はありません。ケータイやスマホでつき合《あ》ってくれる相手《あいて》を探《さが》せばよいのです。そうなると、人《ひと》づき合《あ》いのあり方《かた》は、劇的《げきてき》に変《か》わります。

まず、**人間関係《にんげんかんけい》を選別《せんべつ》する傾向《けいこう》が強《つよ》くなります。**

人《ひと》が場《ば》をつうじて結《むす》びついていた時代《じだい》において、人《ひと》びとは、居合《いあ》わせる相手《あいて》を選《えら》ぶことはできませんでした。部室《ぶしつ》なら部室《ぶしつ》、教室《きょうしつ》なら教室《きょうしつ》など、その時間《じかん》たまたまその場《ば》にいる人《ひと》と交流《こうりゅう》していたのです。

もちろん、事前《じぜん》に部室《ぶしつ》に電話《でんわ》して、いまいるメンバーを確認《かくにん》することもできますが、そこまでめんどうくさいことをやって部室《ぶしつ》に来《く》る人《ひと》はほとんどいませんでした。

現在《げんざい》のように個々人《こじん》が端末《たんまつ》をつうじて結《むす》ばれるようになると、もはや人《ひと》と会《あ》うために、わざわざ場《ば》に足《あし》を運《はこ》ぶ必要《ひつよう》はありません。

そのような環境《かんきょう》で、私《わたし》たちはどうやってほかの人《ひと》と結《むす》びつくのでしょうか。

おそらく次《つぎ》のようになるでしょう。

あなたが、大学《だいがく》のキャンパスで、ひとり退屈《たいくつ》にすごしていたとします。だれかいっしょに話《はな》す人《ひと》、食事《しょくじ》する人《ひと》を見《み》つけようと、あなたはスマートフォンに目《め》を落《お》とします。そのさいあなたは、**話《はな》したい人《ひと》で、かつ、つき合《あ》ってくれそうな人《ひと》から順《じゅん》に連絡《れんらく》をします。**

さあ、もうおわかりでしょう。

私《わたし》たちの多《おお》くは、いっしょになにかをしてくれる相手《あいて》を探《さが》すときに、情報通信《じょうほうつうしん》端末《たんまつ》を活用《かつよう》します。このような人《ひと》の探《さが》し方《かた》をすると、**無意識《むいしき》に相手《あいて》を選別《せんべつ》してしまう**ことがあります。

みなさんのスマホにはおそらく、友《とも》だちと思《おも》える人《ひと》が何人《なんにん》も登録《とうろく》されているでしょう。

メニューからお気《き》に入《い》りの品物《しなもの》を探《さが》すかのように、みなさんは登録《とうろく》メンバーから交流《こうりゅう》したい相手《あいて》を選《えら》びます。

そこには、「選別《せんべつ》の視線《しせん》」が少《すく》なからず入《はい》ってしまいます。

携帯端末《けいたいたんまつ》によって「同《おな》じ人《ひと》」とだけつながるようになる

私《わたし》たちがいっしょになにかをする相手《あいて》を検索《けんさく》する能力《のうりょく》は、場《ば》の力《ちから》が強《つよ》かった時代《じだい》に比《くら》べ、格段《かくだん》に増《ま》しています。

顔見知《かおみし》りであれば、ＩＤ《アイディー》や端末《たんまつ》の電話番号《でんわばんごう》さえ知《し》っていれば、すぐに連絡《れんらく》をとることができます。

顔《かお》を知《し》らない相手《あいて》であっても連絡《れんらく》をとるのはかんたんです。たとえば、みなさんが周《まわ》りの人《ひと》となかなか共有《きょうゆう》できない趣味《しゅみ》をもっていたとしましょう。

そうした場合《ばあい》でも、ハッシュタグをつけて検索《けんさく》をすれば、同《おな》じ趣味《しゅみ》をもつ人《ひと》とすぐに出会《であ》うことができます。

検索《けんさく》と選別《せんべつ》でいっしょにいる相手《あいて》を探《さが》すようになれば、人間関係《にんげんかんけい》の広《ひろ》がりは徐々《じょじょ》に失《うしな》われ、つながりのあり方《かた》は、目的《もくてき》に特化《とっか》されるようになります。

順《じゅん》に確認《かくにん》しましょう。

場《ば》の力《ちから》が強《つよ》かった時代《じだい》、人《ひと》とのつながりは、場《ば》に強《つよ》く規定《きてい》されていました。しかし、その場《ば》でつき合《あ》う人《ひと》は、あるていど多様《たよう》でした。

場《ば》に来《く》る人《ひと》は、同《おな》じクラスやサークルのメンバーにかぎられていたとしても、そのときその場《ば》にいる人《ひと》はまちまちだからです。

個々人《ここじん》が端末《たんまつ》をつうじて結《むす》びつくようになると、同《おな》じ人《ひと》と結《むす》びつく傾向《けいこう》は強《つよ》まります。

自分《じぶん》にとって優先順位《ゆうせんじゅんい》の高《たか》い相手《あいて》とばかり結《むす》びつこうとするからです。

ケータイやスマホは、交友関係《こうゆうかんけい》を一括《いっかつ》して管理《かんり》します。

そこで、優先順位《ゆうせんじゅんい》の高《たか》い相手《あいて》とばかり遊《あそ》んでいれば、自《おの》ずと遊《あそ》ぶ人《ひと》の範囲《はんい》はかぎられてくるでしょう。

一方《いっぽう》で、**優先順位《ゆうせんじゅんい》の低《ひく》い相手《あいて》は、つながりから徐々《じょじょ》に排除《はいじょ》されてゆきます。**

この点《てん》については、のちほど扱《あつか》いましょう。

「その人《ひと》を選《えら》ぶ理由《りゆう》」が必要《ひつよう》になった

次《つぎ》に、**つながりが目的《もくてき》に特化《とっか》される**ことについてです。

少《すこ》し前《まえ》に紹介《しょうかい》しましたが、私《わたし》は大学生《だいがくせい》のころ、なにかにつけ、だれかがたむろしている場《ば》におもむき、そこですごしていました。

場《ば》ですごすことじたいには、とくに目的《もくてき》もなく、なんとなく居合《いあ》わせた人《ひと》たちとなにかをしながら時間《じかん》をともにしていました。

しかし、検索《けんさく》をつうじてだれかと会《あ》うようになると、事情《じじょう》は変《か》わります。**会《あ》いたい人《ひと》を調《しら》べてそのだれかと会《あ》うときには、なんらかの理由《りゆう》やら目的《もくてき》やらを求《もと》められることが多《おお》くなる**からです。

だれかに連絡《れんらく》して会《あ》う場合《ばあい》には、「〜だから会《あ》おう」という理由《りゆう》がないと、誘《さそ》いづらいものです。

そのため、そういったつき合《あ》いのなかでは、ゆるゆるといっしょにいて、居合《いあ》わせた場《ば》でなにをするか決《き》める、ということはなかなかできません。**人《ひと》びとを結《むす》びつける場《ば》の力《ちから》が弱《よわ》まった社会《しゃかい》では、つき合《あ》う相手《あいて》をあるていど自由《じゆう》に選《えら》べるようになったからこそ、「相手《あいて》を選《えら》ぶ理由《りゆう》」を示《しめ》すことも求《もと》められるようになったのです。**

「形《かたち》から入《はい》る友《とも》だち」とケータイ、スマホの親和性《しんわせい》

さて、場《ば》の力《ちから》が強《つよ》かったころの人間関係《にんげんかんけい》と、個々人《ここじん》が端末《たんまつ》をつうじて結《むす》びつく時代《じだい》の人間関係《にんげんかんけい》は、前者《ぜんしゃ》が「結果《けっか》としての友《とも》だち」関係《かんけい》、後者《こうしゃ》が「形《かたち》から入《はい》る友《とも》だち」関係《かんけい》と強《つよ》い親和性《しんわせい》をもちます。

場《ば》の力《ちから》が強《つよ》い時代《じだい》、私《わたし》たちはとりあえず場《ば》におもむき、そこに居合《いあ》わせた人《ひと》と交流《こうりゅう》を重《かさ》ねることで人間関係《にんげんかんけい》を築《きず》いてきました。

初《はじ》めは居合《いあ》わせた人《ひと》の性格《せいかく》もわかりません。

しかし、つき合《あ》いを重《かさ》ねていくうちに、だんだんと相手《あいて》の人《ひと》となりもわかってきます。

そのなかで、友《とも》だちになる人《ひと》、恋愛関係《れんあいかんけい》になる人《ひと》が出《で》てくるのです。

これらはまさに「結果《けっか》として」のつながりといえるでしょう。

一方《いっぽう》、個々人《ここじん》が端末《たんまつ》をつうじて結《むす》びつく時代《じだい》になると、おたがいが連絡《れんらく》をとっ

て会《あ》う理由《りゆう》は、おたがいで用意《ようい》しなければなりません。**ひんぱんに連絡《れんらく》を取《と》り合《あ》ったり、相手《あいて》の連絡《れんらく》リストの上位《じょうい》に入《はい》るには、相《あい》手《て》と特別《とくべつ》な関係《かんけい》になる必要《ひつよう》があるの**です。

そのため、個々人《ここじん》が端末《たんまつ》をつうじて結《むす》びつく時代《じだい》に、相手《あいて》とつながりつづけるには、相手《あいて》と友《とも》だち、もしくは恋人《こいびと》になり、その状態《じょうたい》を継続《けいぞく》しなければなりません。

まさに「形《かたち》から入《はい》る」関係《かんけい》といえるでしょう。

マッチングアプリで恋人《こいびと》をつくるということ

友《とも》だち関係《かんけい》とはちがいますが、マッチングアプリをつうじた出会《であ》いでは、その傾向《けいこう》がいっそう顕著《けんちょ》に表《あらわ》れます。

マッチングアプリとは、おもに異性《いせい》の交際相手《こうさいあいて》を探《さが》すためのインターネットツールです。

異性《いせい》と恋愛関係《れんあいかんけい》になりたいと考《かんが》えている男女《だんじょ》が登録《とうろく》し、アプリをつうじて、「いい」と思《おも》った相手《あいて》に連絡《れんらく》をします。

おたがいが相手《あいて》を「いい」と感《かん》じれば、直接会《ちょくせつあ》えるようになり、さらにそこから交際《こうさい》しようということになれば、恋人《こいびと》としてのおつき合《あ》いが始《はじ》まります。

マッチングアプリをつうじた出会《であ》いの特徴《とくちょう》は、おたがいがあらかじめ「恋人候補《こいびとこうほ》」として出会《であ》い、恋人《こいびと》のような交流《こうりゅう》を重《かさ》ねながら、実際《じっさい》の恋愛関係《れんあいかんけい》を育《はぐ》んでゆくことです。

最初《さいしょ》から「恋人《こいびと》」になることを想定《そうてい》して出会《であ》い、「恋人《こいびと》」っぽい交流《こうりゅう》をしながら、実際《じっさい》に恋人《こいびと》になってゆく。まさに、「形《かたち》から入《はい》る恋人《こいびと》」といえるでしょう。

一方《いっぽう》、場《ば》をつうじた出会《であ》いではそうはなりません。

たまたま同《おな》じクラスや部活《ぶかつ》、サークルに居合《いあ》わせた人《ひと》どうしが、おたがいをよく知《し》っていくうちに、感情《かんじょう》が芽生《めば》え、恋愛《れんあい》に発展《はってん》する。恋愛《れんあい》ドラマやマンガに典型的《てんけいてき》なルートです。

ここでおもしろいのは、**マッチングアプリでの出会《であ》いと、場《ば》をつうじた出《で》**

会《あ》いでは、相手《あいて》を深《ふか》く知《し》る順序《じゅんじょ》がまったくちがうことです。

リアルの場《ば》をつうじた出会《であ》いでは、ある場《ば》での交流《こうりゅう》を繰《く》り返《かえ》し、相手《あいて》のことをよく知《し》っていくうちに恋愛感情《れんあいかんじょう》が芽生《めば》え、交際《こうさい》が始《はじ》まります。

一方《いっぽう》、マッチングアプリの出会《であ》いでは、まず恋人候補《こいびとこうほ》として出会《であ》い、それから相手《あいて》の人《ひと》となりを知《し》るようになります。

恋愛《れんあい》という目的《もくてき》で人《ひと》びとを結《むす》びつけるマッチングアプリは、端末《たんまつ》をつうじた出《で》会《あ》いの、会《あ》うための目的《もくてき》や理由《りゆう》を重視《じゅうし》する性質《せいしつ》を色濃《いろこ》く反映《はんえい》しています。

最近《さいきん》、若《わか》い世代《せだい》の間《あいだ》で「**蛙《かえる》化《か》現象《げんしょう》**」という言葉《ことば》が流行《はや》っています。

これはもともと、好意《こうい》を抱《いだ》いている相手《あいて》に好意《こうい》をもたれると、逆《ぎゃく》に嫌悪感《けんおかん》を抱《いだ》く現象《げんしょう》を指《さ》し示《しめ》す言葉《ことば》でした。

しかし、現在《げんざい》では「交際相手《こうさいあいて》のイヤなところを見《み》て急《きゅう》に幻滅《げんめつ》する」というような意味合《いみあ》いで用《もち》いられています。

グリム童話《どうわ》のひとつに、カエルが王子様《おうじさま》になったというお話《はなし》があります。

「蛙《かえる》化《か》現象《げんしょう》」はこれと逆《ぎゃく》で、いままで好《す》きだった人《ひと》が急《きゅう》にカエルになってしまったかのように、嫌《きら》いになってしまうのです。

たとえば、映画館《えいがかん》で大声《おおごえ》で笑《わら》う、飲食店《いんしょくてん》などで店員《てんいん》さんをよんでも気《き》づかれない、といったことで幻滅《げんめつ》にいたるということです。

これらの現象《げんしょう》は、恋愛《れんあい》も「形《かたち》から入《はい》る」ものになりつつあることを象徴《しょうちょう》しています。

まず交際相手《こうさいあいて》の候補《こうほ》として出会《であ》い、その後《ご》、恋愛《れんあい》っぽい交流《こうりゅう》をつづけることで引《ひ》き留《と》められる関係《かんけい》は、なにかマイナスの現象《げんしょう》が発生《はっせい》した瞬間《しゅんかん》に壊《こわ》れる可能性《かのうせい》があります。

「交際相手《こうさいあいて》のイヤなところを見《み》て急《きゅう》に幻滅《げんめつ》する」姿勢《しせい》は、交際《こうさい》にいたる前段階《ぜんだんかい》で相手《あいて》との積《つ》み重《かさ》ねが少《すく》ないことを表《あらわ》しているのです。

コスパ、相手《あいて》に合《あ》わせることとの相性《あいしょう》のよさ

個々人《ここじん》が端末《たんまつ》をつうじて結《むす》びつく人間関係《にんげんかんけい》は、「形《かたち》から入《はい》る友《とも》だち」関係《かんけい》と相《あい》性《しょう》がよいゆえに、人間関係《にんげんかんけい》をコスパでとらえる姿勢や、「みんな」に合わせる姿《し》勢《せい》とも強《つよ》い親和性《しんわせい》をもちます。

先《さき》ほど、情報通信端末《じょうほうつうしんたんまつ》をつうじて結《むす》びつく人間関係《にんげんかんけい》では、人《ひと》びとは会《あ》いたい相《あい》手《て》を端末《たんまつ》で探《さが》すようになるため、優先順位《ゆうせんじゅんい》の高《たか》い人《ひと》どうしが結《むす》ばれやすく、そうでない相手《あいて》は排除《はいじょ》されてゆくとお話《はな》ししました。

優先順位《ゆうせんじゅんい》の高《たか》さの基準《きじゅん》はいろいろあるかもしれませんが、自分《じぶん》にとって「よい」つながりが優先《ゆうせん》されることはまちがいないでしょう。

しかし、**「よい」つながりを選《えら》んで、その相手《あいて》とつながることばかり意識《いしき》してしまうと、それ以外《いがい》のつながりは「わざわざ結《むす》びつく必要《ひつよう》のない、ムダなもの」に思《おも》えてしまいます。**

とはいえ、つながりのよし悪《あ》しを、そうかんたんに判断《はんだん》することはできません。

また、多様《たよう》な考《かんが》えに触《ふ》れるという意味《いみ》でも、関心《かんしん》のないつながりをコストととらえる姿勢《しせい》は、マイナスになるでしょう。

さらにいえば、「よい」つながりを選《えら》ぶ権利《けんり》は、「私《わたし》だけ」にあるわけではありません。

「私《わたし》」とつながっているほかの人《ひと》にも、「よい」つながりを選《えら》ぶ権利《けんり》はあるのです。

こうした負《ふ》の側面《そくめん》が顕在化《けんざいか》すると、私《わたし》たちは「みんな」に合《あ》わせる姿勢《しせい》を強《つよ》くします。

多《おお》くの人《ひと》が連絡《れんらく》をとる相手《あいて》を選《えら》べるなかで自《みずか》らを選《えら》んでもらうためには、相手《あいて》から「よい」と思《おも》ってもらわなければなりません。

そうしないと、つながりリストの優先順位《ゆうせんじゅんい》が下《さ》がってしまうからです。

つながりリストの優先順位《ゆうせんじゅんい》を上位《じょうい》に保《たも》とうとすれば、私《わたし》たちは必死《ひっし》に努力《どりょく》しなければなりません。

言《い》い換《か》えると、自《みずか》らを「みんな」の輪《わ》にとどまらせるよう努力《どりょく》するのです。

そこで重要《じゅうよう》なのは、**ケータイやスマホに代表《だいひょう》される情報通信端末《じょうほうつうしんたんまつ》は、私《わたし》たちを、かつてより熱心《ねっしん》に「みんな」の輪《わ》に張《は》りつかせるような機能《きのう》を備《そな》えている、**ということです。

明《あ》かされたコミュニケーションの内側《うちがわ》、張《は》りつかせられる私《わたし》たち

ケータイ、スマホをつうじたコミュニケーションは、私《わたし》たちが友《とも》だちと交流《こうりゅう》するにあたって、いままであまり気《き》にしてこなかったことに光《ひかり》を当《あ》てました。私《わたし》はそれを**「ケータイ、スマホによるグレーゾーンの撤廃《てっぱい》」**とよんでいます。

私《わたし》たちのコミュニケーションは、元来《がんらい》、それほどはっきりしたものではありませんでした。対面《たいめん》で話《はな》した内容《ないよう》をいちいち覚《おぼ》えている人《ひと》はあまりいないし、何月《なんがつ》何日《なんにち》の何時《なんじ》にだれに連絡《れんらく》したかも、よほどの記録魔《きろくま》でないかぎり忘《わす》れてしまうでしょう。

対面《たいめん》の会話《かいわ》をそのまま文字《もじ》にしてみると、意外《いがい》と不自然《ふしぜん》なところがあります。論理的《ろんりてき》に成《な》り立《た》っていない会話《かいわ》も少《すく》なくありません。このことは、対面《たいめん》の会話《かいわ》の多《おお》くが、その場《ば》の流《なが》れで行《おこな》われていることを意味《いみ》します。

つまり、私《わたし》たちはいちいち会話《かいわ》の内容《ないよう》を確認《かくにん》して、論理的《ろんりてき》に情報交換《じょうほうこうかん》をしているわけではないということです。友《とも》だちとの雑談《ざつだん》などは、とくにそうでしょう。

以上《いじょう》の点《てん》をふまえると、**対面《たいめん》のコミュニケーションには、私《わたし》たちが認識《にんしき》していないグレーな部分《ぶぶん》がかなりある**ことがわかります。

スマホのコミュニケーションは、このグレーな部分《ぶぶん》の多《おお》くを取《と》り払《はら》ってしまいました。

取《と》り払《はら》われた部分《ぶぶん》として真《ま》っ先《さき》に思《おも》いつくのが、交流《こうりゅう》の履歴《りれき》です。ショートメール、LINE《ライン》、Messenger《メッセンジャー》などの文字《もじ》ベースの交流《こうりゅう》アプリや通話《つうわ》アプリは、私《わたし》たちが何月何日《なんがつなんにち》の何時何分《なんじなんぷん》にだれに連絡《れんらく》し、だれから連絡《れんらく》が来《き》たかをすべて記録《きろく》します。

この機能《きのう》により、人《ひと》びとの間《あいだ》での連絡《れんらく》の行《い》き違《ちが》いはかなり少《すく》なくなりました。

その一方《いっぽう》で私《わたし》たちは、何月何日《なんがつなんにち》の何時《なんじ》にだれから連絡《れんらく》をもらったか、私《わたし》の連絡《れんらく》に対《たい》して、相手《あいて》がどのくらいの早《はや》さで返信《へんしん》したのか、わかるようになりました。

「形《かたち》から入《はい》る友人《ゆうじん》」関係《かんけい》では、スマホでの連絡《れんらく》の頻度《ひんど》や、自《みず》らの連絡《れんらく》への返《へん》

信《しん》の早《はや》さは、自身《じしん》の優先順位《ゆうせんじゅんい》や受《う》け入《い》れのていどの目安《めやす》になります。

ケータイ、スマホが世《よ》のなかに広《ひろ》まった時点《じてん》で、私《わたし》たちは、連絡先《れんらくさき》を知《し》っている人《ひと》であればだれに対《たい》してでも、相手《あいて》との物理的距離《ぶつりてききょり》と関係《かんけい》なく、いつでもどこでも、交流《こうりゅう》できる状況《じょうきょう》を手《て》にしてしまいました。

もし一週間《しゅうかん》、だれもスマホにメッセージをくれなかった、ある人《ひと》やグループに連絡《れんらく》をしても返信《へんしん》が来《こ》なかったという体験《たいけん》をすれば、みなさんは「相手《あいて》から嫌《きら》われているのかも」と気《き》にするでしょう。

反対《はんたい》に、みなさんがメッセージをもらったときに、相手《あいて》が自分《じぶん》にとって優先順位《ゆうせんじゅんい》の高《たか》い人《ひと》であれば、なるべく早《はや》く返信《へんしん》をしようと心《こころ》がけるはずです。

早《はや》く、かつ正確《せいかく》にコミュニケーションをとる必要性《ひつようせい》

だれもがいつ何時《なんどき》でもつながっているなかで、交流《こうりゅう》の履歴《りれき》が明《あき》らかになれば、

「みんな」の輪《わ》に入《はい》りたい人《ひと》は当然《とうぜん》ながら、ケータイ、スマホに張《は》りつくようになります。だれかが連絡《れんらく》をくれると期待《きたい》したり、もらった連絡《れんらく》にはなるべく早《はや》く返信《へんしん》をしようと気《き》を遣《つか》ったりするからです。

とはいえ、そこでの交流《こうりゅう》も、そうかんたんではありません。**文字《もじ》ベースのコミュニケーションは、会話《かいわ》とちがって、ある人《ひと》がどのようなメッセージを送《おく》ったか、文字《もじ》としてしっかり残《のこ》してしまいます。**

友《とも》だちどうしのコミュニケーションには、かならずしも正解《せいかい》はありません。先《さき》にも述《の》べたように、これが対面《たいめん》での音声《おんせい》の会話《かいわ》であれば、話《はな》した内容《ないよう》はどんどん流《なが》れてしまい、確認《かくにん》されることもそう多《おお》くはありません。

一方《いっぽう》、**文字《もじ》ベースの交流《こうりゅう》は、日時《にちじ》のみならず交流《こうりゅう》の内容《ないよう》も記録《きろく》してしまいます。**

だからこそ、**私《わたし》たちは失敗《しっぱい》したメッセージを送《おく》らないよう、よりいっそう気《き》を遣《つか》います。**スマホを片手《かたて》に、どのようなメッセージを送《おく》ればよいか、じっと考《かんが》えこんだ、という経験《けいけん》のある人《ひと》は少《すく》なくないでしょう。

そうはいっても、「みんな」の輪《わ》にとどまったり、友《とも》だち関係《かんけい》を確保《かくほ》したりするには、なるべく早《はや》く返信《へんしん》を行《おこな》い、相手《あいて》にも適度《てきど》にメッセージを送《おく》る必要《ひつよう》があります。そうしないと相手《あいて》のなかで優先順位《ゆうせんじゅんい》が下《さ》がってしまうからです。

なるべく早《はや》くメッセージを送《おく》る必要《ひつよう》があるにもかかわらず、メッセージの内容《ないよう》には気《き》を遣《つか》わなければいけない。

文字《もじ》ベースの交流《こうりゅう》にはこのようなやっかいさがあるのです。

オンラインでより明確《めいかく》になった「序列《じょれつ》」

ケータイ、スマホをつうじたコミュニケーションは、友《とも》だち関係《かんけい》における序列《じょれつ》を、よりはっきりさせるようにもなりました。

第《だい》1章《しょう》でも見《み》たように、ある人《ひと》とある人《ひと》が友《とも》だちか否《いな》かということは、なかなか確《たし》かめられません。

スマホは、友《とも》だちとそうでない人《ひと》との境界線《きょうかいせん》や、相手《あいて》から見《み》た自身《じしん》の序列《じょれつ》を、よりわかりやすいかたちで示《しめ》してしまいました。

境界《きょうかい》の典型《てんけい》としてあげられるのが、つながりを保《たも》つ入《い》り口《ぐち》としての、個人《こじん》のI《アイ》D《ディー》や端末《たんまつ》の電話番号《でんわばんごう》を教《おし》えてもらえるか否《いな》かです。

個人情報保護法《こじんじょうほうほごほう》の施行《しこう》以降《いこう》、同《おな》じクラスや職場《しょくば》、サークルなどの場《ば》に所属《しょぞく》しているというだけで、電話番号《でんわばんごう》や住所《じゅうしょ》が共有《きょうゆう》されることは少《すく》なくなってしまいました。

お気《き》に入《い》りの相手《あいて》のID《アイディー》や端末《たんまつ》の番号《ばんごう》を聞《き》くには、自分《じぶん》から尋《たず》ねる、ID交換《アイディーこうかん》が可能《かのう》なグループに所属《しょぞく》するといった行為《こうい》を求《もと》められます。

個人《こじん》が端末《たんまつ》をつうじて結《むす》びつく時代《じだい》、相手《あいて》の端末番号《たんまつばんごう》やID《アイディー》を知《し》らないということは、つながりづくりの入《い》り口《ぐち》にも立《た》っていないことを意味《いみ》します。

相手《あいて》の端末番号《たんまつばんごう》やID《アイディー》を知《し》ると、相手《あいて》との交流《こうりゅう》が始《はじ》まります。

そこでも、メッセージの頻度《ひんど》や返信《へんしん》の早《はや》さなどで、私《わたし》たちは、相手《あいて》からの受《う》け入《い》れのていどや優先順位《ゆうせんじゅんい》を予測《よそく》できます。

ここでかりに、メッセージがあまり来《こ》なかったり、返信《へんしん》が遅《おそ》かったりすると、「私《わたし》たちは友《とも》だちではないのか」といった不安《ふあん》を抱《いだ》くようになります。

「いいね」されたかどうかで判断《はんだん》する

「友《とも》だち」の境界線《きょうかいせん》や、友《とも》だち関係《かんけい》における序列《じょれつ》を意識《いしき》させられるのは、通話《つうわ》の着信量《ちゃくしんりょう》、メッセージの受信量《じゅしんりょう》、メッセージの返信《へんしん》の早《はや》さだけではありません。

Facebook《フェイスブック》やInstagram《インスタグラム》といったSNS《エスエヌエス》は、さまざまな機《き》能《のう》をつうじて、それ以前《いぜん》には見《み》えなかった関係《かんけい》の内実《ないじつ》を明《あき》らかにしてしまいました。

SNS《エスエヌエス》はサービスごとに、文字中心《もじちゅうしん》、動画《どうが》や画像中心《がぞうちゅうしん》といった特徴《とくちょう》はあるものの、自《みずか》らとつながっている人《ひと》（えてして「友《とも》だち」と表現《ひょうげん》されます）と、相手《あいて》もしくは自身《じしん》が投稿《とうこう》した内容《ないよう》を共有《きょうゆう》するという機能《きのう》は共通《きょうつう》しています。

だれかが行《おこな》った投稿《とうこう》を「よい」と思《おも》えば、参加者《さんかしゃ》はボタンを押《お》すことで、投稿《とうこう》を「よい」と思《おも》っていることを相手《あいて》に知《し》らせることができます。多《おお》くは「いいね」機能《きのう》などといわれています。

この機能《きのう》で私《わたし》たちは、自《みずか》らがつながっている「友《とも》だち」に、投稿《とうこう》した内容《ないよう》が受《う》け入《い》れられているのか否《いな》か、明確《めいかく》にわかるようになりました。

「いいね」は数値《すうち》として示《しめ》されるので、同《おな》じSNS《エスエヌエス》をやっている人《ひと》は、だれが、どのくらい、世《よ》のなか、あるいはグループのなかで受《う》け入《い》れられているのかはっきりわかります。

しかし、不特定多数《ふとくていたすう》の相手《あいて》からの「いいね」が持続《じぞく》するとはかぎりません。ある投稿《とうこう》で1000件《けん》の「いいね」をもらったとしても、次《つぎ》の投稿《とうこう》で同《おな》じ件数《けんすう》の「いいね」がつくとはかぎらないのです。

そのため、SNS《エスエヌエス》による「いいね」を承認《しょうにん》のよりどころとする人《ひと》は、人目《ひとめ》を惹《ひ》くように徐々《じょじょ》に過激《かげき》な投稿《とうこう》をするようになります。いつも同《おな》じような投稿《とうこう》をしているばかりでは、人《ひと》は飽《あ》きてしまいますから。

あ
芽衣《めい》ちゃん新《あたら》しい投稿《とうこう》してる
みんな いいね してる
私《わたし》も しとこ…
ってか… 昨日《きのう》私《わたし》が投稿《とうこう》した似《に》たような写真《しゃしん》は
全然《ぜんぜん》いいね ついてない…
なにがちがうの…？
なんかヘンな写真《しゃしん》だった？
もしかして私《わたし》 みんなに嫌《きら》われてんのかな…

かくして「映《ば》え」を意識《いしき》した行為《こうい》が生《う》まれます。

しかし、**「映《ば》え」を意識《いしき》した投稿《とうこう》のなかにいる自己《じこ》は、現実《げんじつ》の自己《じこ》とは異《こと》なります。**あまりに「映《ば》え」を意識《いしき》しすぎてしまうと、「いいね」はたくさんついたのだけど、かえってさみしさが増《ま》すという、逆転現象《ぎゃくてんげんしょう》が生《しょう》じることもあります。

これほどたくさんの人《ひと》が「いいね」をしてくれているけど、「ほんとうの

自己《じこ》」を知《し》っている人《ひと》はだれもいない。「ほんとうの自己《じこ》」をさらして「いいね」をつけてくれる人《ひと》はだれもいない、という感覚《かんかく》です。

「いいね」をすることで友人関係《ゆうじんかんけい》を保《たも》つ

SNS《エスエヌエス》をつうじた承認《しょうにん》のあり方《かた》は、「みんな」を意識《いしき》した承認《しょうにん》のあり方《かた》と、とてもよく似《に》ています。

形《かたち》だけ「友《とも》だち」としてつながっている「みんな」に合《あ》わせて、キャラづくりをする人《ひと》。

SNS《エスエヌエス》の向《む》こう側《がわ》で「友《とも》だち」としてつながっている「みんな」に合《あ》わせて「映《ば》える」投稿《とうこう》をする人《ひと》。

その根《ね》っこはいっしょです。

リアルでもSNS《エスエヌエス》でも、過剰《かじょう》に「みんな」に没入《ぼつにゅう》してしまうと、「みんな」

のなかに入《はい》る代《か》わりに、ほんとうの自己《じこ》を押《お》しつぶす現象《げんしょう》が起《お》きます。

その点《てん》は注意《ちゅうい》してほしいものです。

また、SNS《エスエヌエス》の「いいね」機能《きのう》は、相手《あいて》への友好《ゆうこう》の証《あかし》になることもあります。

私《わたし》のゼミの学生《がくせい》さんが興味深《きょうみぶか》い話《はなし》をしてくれました。

彼女《かのじょ》には高校生《こうこうせい》の妹《いもうと》がおり、妹《いもうと》さんはずっとスマホをいじっているそうです。高校生《こうこうせい》にはありがちですね。

その妹《いもうと》さんは、定期的《ていきてき》にSNS《エスエヌエス》をチェックし、友《とも》だちが投稿《とうこう》していたら、そこに「いいね」をつけているということでした。

つながっている人《ひと》の投稿《とうこう》に「いいね」をつけることが、相手《あいて》を受《う》け入《い》れている証《あかし》になるから、友《とも》だちの輪《わ》を保《たも》つために、その作業《さぎょう》は必須《ひっす》らしいのです。

それで本人《ほんにん》が幸《しあわ》せならいいのですが、ここまでスマホにしばられるとなると気《き》の毒《どく》になってしまいます。

より明確《めいかく》になった友《とも》だちの境界《きょうかい》

ＳＮＳ《エスエヌエス》をはじめとするオンラインのコミュニケーションは、友《とも》だちとそうでない人《ひと》の間《あいだ》に、さらにわかりやすい境界線《きょうかいせん》を引《ひ》きます。

オンラインでコミュニケーションをとろうとるまいと、私《わたし》たちは、同《おな》じクラスやサークルの内側《うちがわ》に、さらに小《ちい》さな仲良《なかよ》しのグループをつくりがちです。**オンラインの交流《こうりゅう》が始《はじ》まる前《まえ》は、じつのところ、そういったグループの境界線《きょうかいせん》は、あまりはっきりしていませんでした。**

グループの境界線《きょうかいせん》をはっきりさせるには、ほかのメンバーに直接《ちょくせつ》たずねる必要《ひつよう》がありますが、それはなかなか勇気《ゆうき》のいることです。

もしかしたら、自身《じしん》はグループに入《はい》っていないと相手《あいて》から思《おも》われているかもしれません。そもそも、そうしたことを聞《き》くことじたい、相手《あいて》をイヤな気《き》もちにさせてしまう可能性《かのうせい》もあります。

ＬＩＮＥ《ライン》などのメッセージアプリを使《つか》ったコミュニケーションは、仲良《なかよ》しグループの境界線《きょうかいせん》を、だれもがわかるようにはっきりさせてしまいました。

メッセージアプリのＬＩＮＥ《ライン》は、一対一《いちたいいち》のみならず、グループでの連絡《れんらく》にも使《つか》われます。グループのメンバーは、参加者《さんかしゃ》を選《えら》ぶことができ、グループに名前《なまえ》をつけることもできます。

この機能《きのう》により、仲良《なかよ》しグループの内側《うちがわ》にいる人《ひと》、外側《そとがわ》にいる人《ひと》は明確《めいかく》に区別《くべつ》されるようになりました。

しかも、ＬＩＮＥ《ライン》のグループのメンバー構成《こうせい》や、新《あたら》しく加入《かにゅう》した人《ひと》、離脱《りだつ》した人《ひと》はだれもが確認《かくにん》できます。

グループの境界《きょうかい》が明確《めいかく》になると、私《わたし》たちは、その境界《きょうかい》のなかで認《みと》められるようにいっそう努力《どりょく》するようになります。境界《きょうかい》の内側《うちがわ》に入《はい》らなければ、とどまらなければという圧力《あつりょく》が働《はたら》くからです。

さらに、**ＬＩＮＥ《ライン》でのグループ交流《こうりゅう》は、グループのメンバー構成《こうせい》のみならず、**

各《かく》メンバーの発言量《はつげんりょう》や反応《はんのう》の早《はや》さも明《あき》らかにしてしまいます。

友《とも》だちグループの反応《はんのう》を気《き》にするあまり、ついついスマホを確認《かくにん》してしまう人《ひと》も少《すく》なくないでしょう。

授業《じゅぎょう》の合間《あいま》もスマホを見《み》て返信《へんしん》にいそしんでいる学生《がくせい》を見《み》ると、もはやスマホを使《つか》いこなしているのではなく、スマホに使《つか》われてしまっているのではないかと思《おも》います。

オンライン化《か》が進《すす》む前《まえ》は、グループメンバーと空間的《くうかんてき》に距離《きょり》をおけば、グループからは自由《じゆう》になれました。

しかし、目《め》の前《まえ》にいない他者《たしゃ》と四六時中《しろくじちゅう》結《むす》びつくオンラインでのコミュニケーションではそうはいきません。

その結果《けっか》、友《とも》だち関係《かんけい》に不安《ふあん》を覚《おぼ》える人《ひと》ほど、スマホを手放《てばな》せないという現象《げんしょう》が引《ひ》き起《お》こされてしまいました。

目的別《もくてきべつ》にグループをつくり、投稿《とうこう》する

友《とも》だちの境界線《きょうかいせん》は、LINE《ライン》のグループでのコミュニケーションのみならず、さまざまなSNS《エスエヌエス》でも確認《かくにん》できます。

SNS《エスエヌエス》には、自《みずか》らが発信《はっしん》するメッセージを、どの人《ひと》に見《み》せるか決《き》められる機能《きのう》があります。

たとえば、Instagram《インスタグラム》には親《した》しい友《とも》だちに限定《げんてい》して動画《どうが》を配信《はいしん》するサービスがあります。

この通知《つうち》を受信《じゅしん》した人《ひと》は、発信者《はっしんしゃ》から「親《した》しい人《ひと》と思《おも》われているんだ」と感《かん》じ、よろこびを抱《いだ》くそうです。

SNS《エスエヌエス》によっては、アカウントを複数《ふくすう》つくり、あるアカウントを全員《ぜんいん》が見《み》られるもの、別《べつ》のアカウントを趣味《しゅみ》のもの、さらに別《べつ》のアカウントを親《した》しい人限定《ひとげんてい》のものなどと、目的別《もくてきべつ》に使《つか》い分《わ》けることも可能《かのう》です。

つまり、**親《した》しさ別《べつ》、あるいは趣味《しゅみ》・アルバイトなどの交流目的別《こうりゅうもくてきべつ》にアカウントを使《つか》い分《わ》けることが可能《かのう》**なのです。

操作《そうさ》できるのは、発信《はっしん》するメッセージだけではありません。受信《じゅしん》するメッセージについても、特定《とくてい》の人《ひと》からのものは拒否《きょひ》するといった操作《そうさ》が可能《かのう》です。

投稿内容《とうこうないよう》からも、友《とも》だちの境界線《きょうかいせん》は意識《いしき》させられます。

たとえば、仲良《なかよ》しグループの３人《にん》がいたとしましょう。当然《とうぜん》ながら、この３人《にん》はSNS《エスエヌエス》でもつながっています。

あるとき、３人《にん》のうちのふたりが遊《あそ》びに出《で》かけている画像《がぞう》が投稿《とうこう》されました。残《のこ》りのひとりは、声《こえ》もかけられていません。

そうなると、残《のこ》されたひとりは「私《わたし》は仲良《なかよ》しグループに入《はい》っていないのでは」と不安《ふあん》を抱《いだ》くようになるでしょう。

親《した》しさ別《べつ》、目的別《もくてきべつ》にメッセージを送《おく》り、特定《とくてい》の人《ひと》からのメッセージはブロックする。投稿内容《とうこうないよう》のチェックも欠《か》かさない。

このようなことを日常的《にちじょうてき》にしていれば、友《とも》だちの境界線《きょうかいせん》は否応《いやおう》なく意識《いしき》させられてしまいます。

「形《かたち》から入《はい》る友《とも》だち」の時代《じだい》のSNS《エスエヌエス》

このように見《み》てくると、**SNS《エスエヌエス》をつうじた人間関係《にんげんかんけい》は、従来《じゅうらい》の人間関係《にんげんかんけい》よりも格段《かくだん》に操作性《そうさせい》を増《ま》した**、といえるでしょう。

メッセージの伝達範囲《でんたつはんい》や受信《じゅしん》の範囲《はんい》はかんたんに調整《ちょうせい》できます。内輪《うちわ》のグループづくりも容易《ようい》になりました。

ここで重要《じゅうよう》なのは、人間関係《にんげんかんけい》が不安定《ふあんてい》になり、だれかと友《とも》だちになることを強《つよ》く求《もと》められる時代《じだい》に、SNS《エスエヌエス》が急速《きゅうそく》に普及《ふきゅう》したという事実《じじつ》です。

人間関係《にんげんかんけい》が不安定《ふあんてい》になり、ひとりになりやすい時代《じだい》でだれかと継続的《けいぞくてき》な関係《かんけい》になるには、意中《いちゅう》の相手《あいて》またはグループと友《とも》だちにならなければなりません。

しかし、ある人《ひと》とのつながりが友《とも》だちかどうかは本質的《ほんしつてき》にはあいまいです。それゆえ**私《わたし》たちは、つながりのある相手《あいて》と「友《とも》だちかどうかわからない」という不安《ふあん》を抱《かか》えます。**

不安《ふあん》をなくし関係《かんけい》をつづけるためには、私《わたし》たちは、つながりの輪《わ》に「友《とも》だちっぽい」ふるまいを詰《つ》めこまなければなりません。

SNS《エスエヌエス》をはじめとするオンラインのコミュニケーションは、私《わたし》たちの間《あいだ》に、ひじょうにわかりやすい友《とも》だちの境界線《きょうかいせん》を引《ひ》き始《はじ》めました。

おたがいの交流《こうりゅう》の記録《きろく》から、つながりの優先順位《ゆうせんじゅんい》を割《わ》り出《だ》し、グループというかたちで仲良《なかよ》しのウチとソトを分《わ》け、アカウントを使《つか》い分《わ》けることで、つながりを類型化《るいけいか》してゆく。

つながりの境界《きょうかい》が可視化《かしか》されれば、私《わたし》たちはそのウチとソトを強《つよ》く意識《いしき》するようになります。

線引《せんび》きしないうちは気《き》づかなかったものが、線《せん》を引《ひ》いた瞬間《しゅんかん》から気《き》になってしまうというのは、よくあることです。

そうなると、**私《わたし》たちは友《とも》だちの境界《きょうかい》のウチに入《はい》るように切実《せつじつ》な努力《どりょく》を始《はじ》めます。**安定的《あんていてき》なつながりを得《え》るためには、だれかと友《とも》だちになることが重要《じゅうよう》だからです。

しかも、その努力《どりょく》は、友《とも》だちグループから物理的《ぶつりてき》に離《はな》れても終《お》わりません。人《ひと》びとが個別《こべつ》の端末《たんまつ》をつうじてオンラインでつながる社会《しゃかい》では、だれかとつながるにあたり、空間的《くうかんてき》な距離《きょり》は問《と》われません。

私《わたし》たちは時間《じかん》、場所《ばしょ》に関係《かんけい》なくリアルタイムでつながることができます。形《かたち》から入《はい》る友《とも》だち関係《かんけい》が広《ひろ》がり、オンラインでそのつながりを補填《ほてん》する時代《じだい》だからこそ、オンラインでの人《ひと》とのつき合《あ》い方《かた》には、いっそう気《き》をつける必要《ひつよう》があるのです。

オンラインの人《ひと》づき合《あ》いで疲《つか》れないために

第《だい》6章《しょう》

オンラインでの人間関係《にんげんかんけい》の大前提《だいぜんてい》

では、いったいどのように、オンライン空間《くうかん》とつき合《あ》ってゆけばよいのでしょうか。私自身《わたしじしん》は、SNS《エスエヌエス》をやらないのがいちばんだと思《おも》いますが、これだけ多《おお》くの人《ひと》がやっているなか、それはむずかしいでしょう。

私《わたし》の考《かんが》えを述《の》べる前《まえ》に、かんたんに研究《けんきゅう》の結果《けっか》をお話《はな》しします。

これまで、オンラインのコミュニケーションのマイナス面《めん》ばかり話《はな》してきました。しかし、社会調査《しゃかいちょうさ》でオンラインのコミュニケーションの頻度《ひんど》と友《とも》だちの人数《にんずう》との関連《かんれん》を見《み》ると、**たいていはオンラインのコミュニケーションをよくしている人《ひと》ほど友《とも》だちが多《おお》い**、という結果《けっか》になります。

その一方《いっぽう》で、**オンラインのコミュニケーションをよくする人《ひと》ほど、孤独《こどく》への耐性《たいせい》が低《ひく》くなる**という結果《けっか》もあります。

要《よう》するに、オンラインも使《つか》い方次第《かたしだい》だということです。

ただ、「使《つか》い方次第《かたしだい》」では、なんの回答《かいとう》にもなっていません。銃《じゅう》でも刃物《はもの》でも原子力《げんしりょく》でも、たいていのものは使《つか》い方次第《かたしだい》なのです。絶対的《ぜったいてき》によいもの、悪《わる》いものなどはそうそうありません。

では、どう使《つか》えばいいか。まずいえることは、**「絶対的《ぜったいてき》に正《ただ》しい」使《つか》い方《かた》はない**、ということです。どのような使《つか》い方《かた》をしてもまちがうことはあります。それはスマホのみならず、さまざまな物事《ものごと》にも当《あ》てはまります。

「正《ただ》しい」使《つか》い方《かた》、やり方《かた》は、みなさんがさまざまな失敗《しっぱい》を重《かさ》ねて、そのなかでつかんでゆくしかないのです。

その点《てん》をふまえたうえで、私《わたし》なりの考《かんが》えを述《の》べていきましょう。

リアルの場《ば》をもっておく

私《わたし》たちの社会《しゃかい》では、学校《がっこう》や会社《かいしゃ》といった場《ば》の人《ひと》を集《あつ》める力《ちから》が弱《よわ》くなって、個々《ここ》人《じん》が主体的《しゅたいてき》に人《ひと》と結《むす》びつくことを求《もと》められるようになりました。場《ば》と関係《かんけい》なく人《ひと》と人《ひと》を結《むす》びつけるオンラインのコミュニケーションは、このような状況《じょうきょう》とてもなじみやすいです。

しかし、人《ひと》をつなげる場《ば》の後押《あとお》しがなく、個々人《ここじん》の感覚《かんかく》だけで結《むす》びつくつながりはそう強《つよ》くありません。

だからこそ、**なんらかの場《ば》をもとに関係《かんけい》を築《きず》き、オンラインのコミュニケーションは補完的《ほかんてき》に用《もち》いたほうがよい**でしょう。

安定《あんてい》した場《ば》がなく、オンラインのみで人《ひと》をつなぎ止《と》めようとすると、追《お》い立《た》てられるように画面《がめん》を見《み》つめ、気《き》を遣《つか》いつつも「盛《も》った」自己《じこ》を提示《ていじ》するといった状況《じょうきょう》を招《まね》きかねません。

オンラインだからこそ気軽《きがる》に物言《ものい》いができるという場面《ばめん》もたしかにあります。しかし、基本《きほん》はリアルな場《ば》の安定《あんてい》した関係《かんけい》にあることは忘《わす》れないでください。

そういった場《ば》やつながりがひとつでもあれば、「みんな」に取《と》り込《こ》まれることは、あまりなくなるでしょう。

「SNS《エスエヌエス》を使《つか》わない時間《じかん》」などのルールを決《き》める

オンラインでのやりとりをもう少《すこ》し減《へ》らしたい、という人《ひと》もいるかもしれません。

そういう人《ひと》は、オンラインでのやりとりはパソコンでしかやらない、夜《よる》など一《いっ》定《てい》の時間《じかん》を過《す》ぎたらやらない、といったルールを決《き》めておくとよいでしょう。そのさい、身《み》の回《まわ》りの人《ひと》に事情《じじょう》を説明《せつめい》しておけば、いさかいも起《お》きにくいはずです。**それを受《う》け入《い》れてくれない人《ひと》とは、もしかしたら長《なが》くつき合《あ》えないかもしれません。それはそれと割《わ》り切《き》ることも大事《だいじ》です。**

私《わたし》はスマホをもっていますが、LINE《ライン》やそのほかのSNS《エスエヌエス》は、スマホでいっさいやりません。そうなると、出《で》かけたときに不便《ふべん》だと思《おも》うかもしれませんが、そんなことはありません。

いっしょに食事《しょくじ》をしたり遊《あそ》びに行《い》ったりする人《ひと》は、たいてい電話番号《でんわばんごう》を知《し》って

いるので、いざとなったら電話《でんわ》をするか、ショートメールをすれば事足《ことた》ります。

とくに相手《あいて》からなにかをいわれるわけではないので、それでいいと思《おも》っています。

たまに、約束《やくそく》の時間《じかん》や場所《ばしょ》が変更《へんこう》になったさい、LINE《ライン》のグループにしか連《れん》絡《らく》がいかず、戸惑《とまど》うこともあります。

しかし、**それはそれでいいと思《おも》っています。私《わたし》にとっては「常時《じょうじ》つながら**

ないこと」の気楽《きらく》さのほうがはるかに大事《だいじ》なのです。

友《とも》だちづき合《あ》いが苦《くる》しいのは社会《しゃかい》の仕組《しく》みにも理由《りゆう》がある

最後《さいご》にもうひとつ。

先《さき》ほども述《の》べたように、オンラインで人間関係《にんげんかんけい》を築《きず》くにあたり、「絶対的《ぜったいてき》に正《ただ》しい」やり方《かた》はありません。では**「正《ただ》しい」方法《ほうほう》がないからひとまず前《まえ》に進《すす》み、経験《けいけん》だけ積《つ》めばよいかというと、そういうわけでもありません。**

第《だい》5章《しょう》で、ケータイやスマホを中心《ちゅうしん》としたオンラインのコミュニケーションにより、私《わたし》たちの人間関係《にんげんかんけい》、友《とも》だち関係《かんけい》がどのような影響《えいきょう》を受《う》けたか説明《せつめい》しました。

それを知《し》っているだけでも、スマホなどのツールへの対応《たいおう》の仕方《しかた》は変《か》わります。

私《わたし》たちの身《み》の回《まわ》りには、なんとなく違和感《いわかん》や不満《ふまん》・不安《ふあん》をもつけれど、その理由《りゆう》がはっきりしないもの・ことがたくさんあります。

生《う》まれたころからオンラインの環境《かんきょう》が確立《かくりつ》され、ケータイやスマホと身近《みぢか》に接《せっ》してきたみなさんは、それが人《ひと》びとのつながりをどのように変《か》えたのか、わからないかもしれません。

第《だい》5章《しょう》では、そういった違和感《いわかん》や不満《ふまん》・不安《ふあん》を言語化《げんごか》してみました。

そうすると、LINE《ライン》をしていてなんとなくイライラすることがある。SNS《エスエヌエス》をいじっていると、そのときは楽《たの》しいのだけどふと空《むな》しくなる。**そういったことの原因《げんいん》は、あなた自身《じしん》だけにあるのではなく、テクノロジーが変《か》えてしまった社会《しゃかい》にもある**ことが見《み》えてくるでしょう。

それをふまえたうえで、一人《ひとり》ひとりがどのようにケータイやスマホと接《せっ》するか、考《かんが》えることが大事《だいじ》なのです。

うまくいかなくてもかまいません。**友《とも》だち関係《かんけい》、人間関係《にんげんかんけい》なんて、もともとそうかんたんにうまくいくものではないのです。**失敗《しっぱい》したり考《かんが》えたりした時間《じかん》が、その次《つぎ》の道《みち》しるべとなり、これからのみなさんをつくってゆくでしょう。

友《とも》だちがなかなかできないのは、いまも昔《むかし》も変《か》わりません。たしかに、昔《むかし》は人間関係《にんげんかんけい》の継続性《けいぞくせい》があるていど保証《ほしょう》されていたので、あるつながりが友《とも》だちに発展《はってん》する道筋《みちすじ》も明確《めいかく》でした。ただしその一方《いっぽう》で、友《とも》だちを探《さが》す経《けい》路《ろ》は限定的《げんていてき》でした。

いまの社会《しゃかい》で、ある人《ひと》との関係《かんけい》を継続《けいぞく》するためには、昔以上《むかしいじょう》の努力《どりょく》が必《ひつ》要《よう》です。しかしながら、友《とも》だちを探《さが》す経路《けいろ》は豊富《ほうふ》です。オンラインツールは、その道《みち》をさらに広《ひろ》げてくれました。

大事《だいじ》なのは負《ふ》の側面《そくめん》に飲《の》みこまれないことです。

だれかと離《はな》れるのをおそれて「みんな」にすり寄《よ》ったり、相手《あいて》を選《えら》べるのをいいことにコスパばかりを意識《いしき》して人間関係《にんげんかんけい》を築《きず》いたり。そうなると友《とも》だち関係《かんけい》は落《お》ち着《つ》かないものになります。

「ずっと友《とも》だち」でなくてもいい

私《わたし》は、だれかと友《とも》だちになることにこだわらず、もっと気軽《きがる》に「場《ば》」に足《あし》を運《はこ》べばいいと思《おも》っています。

なんとなくいられそうな場《ば》に足《あし》を運《はこ》ぶうちに、話《はな》す人《ひと》ができ、いっしょに行動《こうどう》をするようになる。

そのさい、オンラインのコミュニケーションも助《たす》けになるかもしれません。足《あし》を運《はこ》んでいるうちに、「結果《けっか》としての友《とも》だち」ができればそれもよいでしょう。

とはいえ、**友《とも》だちは、その後《ご》さらに年数《ねんすう》が経《た》つと、友《とも》だちではなくなることもあります。それはそれでよいのです。**

歳《とし》をとれば物事《ものごと》の感《かん》じ方《かた》や考《かんが》え方《かた》も変《か》わります。

それは、みなさんにも、みなさんの友《とも》だちにもいえることです。

年月《ねんげつ》を経《へ》て距離《きょり》が広《ひろ》がるのは当然《とうぜん》のことなのです。

おそれる必要《ひつよう》はありません。

かつて近《ちか》くにいたはずの友《とも》だちとの距離《きょり》が広《ひろ》がったら、また別《べつ》の場《ば》に足《あし》を運《はこ》び、新《あたら》しいつながりのなかに身《み》をおけばよいでしょう。

コミュニケーションの技法《ぎほう》や心理《しんり》にこだわるより、もうちょっと気軽《きがる》に人《ひと》とつき合《あ》ってもよいかと、いまの若《わか》い人《ひと》を見《み》ていると感《かん》じます。

おわりに

本書《ほんしょ》では「友《とも》だち」という関係性《かんけいせい》について、さまざまな方向《ほうこう》から書《か》きました。最後《さいご》に、友《とも》だちから少《すこ》し離《はな》れ、「**ひとりでいること**」についてお話《はな》ししましょう。

私《わたし》は孤独《こどく》・孤立《こりつ》について専門的《せんもんてき》に研究《けんきゅう》しています。

孤独《こどく》・孤立《こりつ》の研究《けんきゅう》は、基本的《きほんてき》には孤独《こどく》や孤立《こりつ》を「悪《わる》いもの」と見《み》なします。実《じっ》際《さい》の研究《けんきゅう》を見《み》ても、孤独《こどく》や孤立《こりつ》が心身《しんしん》に悪《わる》い影響《えいきょう》をおよぼし、社会《しゃかい》に分断《ぶんだん》を招《まね》きやすいという結果《けっか》が出《で》ています。

しかし、そのようなことを指摘《してき》すると、たいてい「ひとりでいることの、なにが悪《わる》いのか」「孤独《こどく》も悪《わる》いことばかりではない」という反論《はんろん》を受《う》けます。

たしかに、私《わたし》もそう思《おも》います。

友《とも》だちの輪《わ》から離《はな》れてひとりになることで、自分《じぶん》をゆっくり見《み》つめ直《なお》したり、新《あら》たな気《き》づきを得《え》られたりすることもあります。

そこで重要《じゅうよう》なのは、**「研究者《けんきゅうしゃ》の指摘《してき》する孤独《こどく》・孤立《こりつ》」と「それに反対《はんたい》する人《ひと》が述《の》べる孤独《こどく》・孤立《こりつ》」はちがう、**ということです。

研究者《けんきゅうしゃ》の多《おお》くは、孤独《こどく》・孤立《こりつ》を測定《そくてい》するさいに、かなり厳密《げんみつ》な基準《きじゅん》を用《もち》います。たとえば、身《み》の回《まわ》りに自《みずか》らを理解《りかい》してくれる人《ひと》がおらず、さみしい思《おも》いをしている（孤独感《こどくかん》が強《つよ》い）、身《み》の回《まわ》りに頼《たよ》れる人《ひと》がだれもいない（孤立《こりつ》）といった測定《そくてい》方法《ほうほう》です。

このように孤独《こどく》・孤立《こりつ》を測定《そくてい》した場合《ばあい》、孤独《こどく》・孤立《こりつ》は心身《しんしん》に悪《わる》い影響《えいきょう》を及《およ》ぼす、社会的《しゃかいてき》に「恵《めぐ》まれない」人《ひと》ほど孤立《こりつ》しやすいといった結果《けっか》になります。

一方《いっぽう》、ひとりでいることの重要性《じゅうようせい》を説《と》く人《ひと》たちの多《おお》くは、「社会《しゃかい》との接点《せってん》を保《たも》ちつつも、ひとりになることも大事《だいじ》だ」として、「ひとり（孤独《こどく》・孤立《こりつ》）」の重要《じゅうよう》性《せい》を指摘《してき》しています。

ここでの孤独《こどく》・孤立《こりつ》は、「なにかと確固《かっこ》たるつながりを確保《かくほ》したうえでのひとり」といえるでしょう。

このふたつの言説《げんせつ》から導《みちび》かれるのは、**「うまくひとりになること」の重要性《じゅうようせい》**です。

これまで見《み》てきたように、「友《とも》だち」という枠組《わくぐ》みにとらわれすぎてしまうと、うまくひとりになることができません。

ひとりになることをおそれて「みんな」にすり寄《よ》ったり、「みんな」といることに疲《つか》れてつながりを否定《ひてい》したりするからです。

逆説的《ぎゃくせつてき》ではありますが、**うまくひとりになるには、その周《まわ》りの「なにか」とつながっておく必要《ひつよう》がある**のです。

「なにか」との確固《かっこ》たるつながりがあるからこそ、怖《こわ》がることなく、ひとりにもなれます。

そのつながりが家族《かぞく》なのか、友《とも》だちなのかはわかりません。

人《ひと》ではなく、本《ほん》や芸術《げいじゅつ》をよりどころとする人《ひと》もいるでしょう。そこから新《あたら》しい「友《とも》だち」ができることもあります。そもそも人《ひと》づき合《あ》いが苦《にが》手《て》という人《ひと》は、そういったところから入《はい》るのもよいでしょう。

大事《だいじ》なのは「友《とも》だち」や「つながり」といった枠《わく》にとらわれすぎて、自分《じぶん》を見失《みうしな》わないことです。

一人《ひとり》ひとりが情報通信端末《じょうほうつうしんたんまつ》を手《て》にした社会《しゃかい》では、だれもが、いつ何時《なんどき》でも、「つながり」を意識《いしき》させられます。

そこに歩調《ほちょう》を合《あ》わせるように、メディアには「友《とも》だち」に関《かん》する言説《げんせつ》があふれています。

しかし、本書《ほんしょ》でも確認《かくにん》したように、友《とも》だちはすばらしい存在《そんざい》ではあるものの、できにくく、壊《こわ》れやすいものでもあるのです。

その点《てん》を理解《りかい》しつつ、社会《しゃかい》との接点《せってん》をもち、ひとりでいることも楽《たの》しみながら、日々《ひび》すごしてくだされればと思《おも》います。

小学校《しょうがっこう》の高学年《こうがくねん》から中学生《ちゅうがくせい》に向《む》けての「友《とも》だちづくりのヒント」というテーマで書籍《しょせき》を執筆《しっぴつ》しませんか、とお声《こえ》がけいただいたのは、2023年《ねん》の4月《がつ》でした。「友《とも》だちづくり」については、心理学《しんりがく》をもとにした書籍《しょせき》が多数《たすう》あったので、それらと重《かさ》ならないよう、社会《しゃかい》に焦点《しょうてん》を当《あ》てて執筆《しっぴつ》しました。

いくら個人個人《こじんこじん》でコミュニケーションの技法《ぎほう》を学《まな》んでも、社会《しゃかい》の仕組《しく》みのせいでどうにもならないこともあります。それを知《し》ることで、かえってラクになることもある。この点《てん》を私《わたし》は、社会学《しゃかいがく》から学《まな》びました。

本書《ほんしょ》の執筆《しっぴつ》にあたっては、講談社《こうだんしゃ》の澤有一良《さわゆういちろう》さんに大変《たいへん》お世話《せわ》になりました。ともすれば堅苦《かたくる》しくなりがちな研究者《けんきゅうしゃ》の文章《ぶんしょう》を、小学生《しょうがくせい》でも読《よ》めるように丁寧《ていねい》にコメントしてくださいました。ほんとうにありがとうございます。

本書《ほんしょ》が友《とも》だちにまつわる悩《なや》みの解消《かいしょう》に、少《すこ》しでもお役《やく》に立《た》てましたら幸《さいわ》いです。

石田光規《いしだみつのり》

石田光規《いしだみつのり》

1973年神奈川県生まれ。早稲田大学文学学術院教授。東京都立大学大学院社会科学研究科社会学専攻博士課程単位取得退学。博士（社会学）。著書に『友人の社会史』（晃洋書房）、『孤立の社会学』『つながりづくりの隘路』『孤立不安社会』（以上、勁草書房）など多数。近著に『「人それぞれ」がさみしい』（ちくまプリマー新書）、『「友だち」から自由になる』（光文社新書）がある。

友《とも》だちがしんどいがなくなる本《ほん》

2024年2月27日　第1刷発行
2024年7月26日　第2刷発行

著　者　石田光規《いしだみつのり》

発行者　森田浩章
発行所　株式会社講談社
〒112-8001
東京都文京区音羽2-12-21
電話　編集　03-5395-3535
　　　販売　03-5395-3625
　　　業務　03-5395-3615

KODANSHA

印刷所　共同印刷株式会社
製本所　大口製本印刷株式会社

N.D.C. 361　173p　19cm
ISBN978-4-06-534018-9